3

THE
**PROMISED
LAND**

약속의 땅

THE GOSPEL PROJECT®

The Gospel Project for Kids

가스펠 프로젝트

구약 3

약속의 땅

고학년 교사용

지은이 · LifeWay Kids
옮긴이 · 안윤경
감수 · 김도일, 김병훈, 이희성

초판 발행 · 2017. 5. 25
5쇄 발행 · 2011. 11. 30
등록번호 · 제1988-000080호
등록된 곳 · 서울특별시 용산구 서빙고로65길 38
발행처 · 사단법인 두란노서원
영업부 · 02) 2078-3352, 3452, 3752, 3781 FAX 080-749-3705
편집부 · 02) 2078-3437
표지디자인 · 더그램
활동연구 · 박현진, 이경선, 이다솔, 한승우, 홍선아

책값은 뒤표지에 있습니다.
ISBN 978-89-531-2849-1 04230 / 978-89-531-2702-9 (세트)

홈페이지 · gospelproject.co.kr / **두란노몰** · mall.duranno.com

두란노서원은 바울 사도가 3차 전도 여행 때 에베소에서 성령 받은 제자들을 따로 세워 하나님의 말씀으로 양육하던 장소입니다.
사도행전 19장 8-20절의 정신에 따라 첫째 목회자를 돕는 사역과 평신도를 훈련시키는 사역,
둘째 세계선교TIM와 문서선교단행본 · 잡지 사역, 셋째 예수문화 및 경배와 찬양 사역, 그리고 가정 · 상담 사역 등을 감당하고 있습니다.
1980년 12월 22일에 창립된 두란노서원은 주님 오실 때까지 이 사역들을 계속할 것입니다.

차례

이렇게 활용해 보세요!

① 단원 개요 · 각 과의 목표

● '가스펠 프로젝트'(하나님의 구원 계획)의 연대기적 큰 흐름 속에서 각 단원과 각 과의 주제를 살펴봅니다.

DVD **카운트다운** 단원별로 제공되는 3분 카운트다운 영상(지도자용 팩)으로, 장소를 옮기거나 시간을 구분 짓는 방법으로 활용할 수 있습니다.

DVD **무대 배경** 단원별 설교의 도입(들어가기)에서 공통적으로 활용할 수 있는 무대 데코 아이디어로, 배경 이미지(지도자용 팩)를 화면에 띄워 사용할 수 있습니다.

단원 암송 단원의 핵심 메시지가 담긴 성경 구절입니다.

성경의 초점 본문과 관련된 성경의 중심 주제(핵심 교리)를 문답의 형식으로 정리한 문장입니다. 단원의 성경의 초점을 익히며 성경의 흐름을 이해하게 합니다.

주제 각 과의 핵심 줄거리를 파악할 수 있습니다.

가스펠 링크 성경 이야기에 담긴 복음을 발견하게 합니다. 모든 성경 이야기는 그리스도와 연결됩니다.

본문 속으로 이 과를 준비하며 묵상할 내용과 티칭 포인트를 제시합니다. 청장년용 《가스펠 프로젝트》로 교사 소그룹 모임에서 더 깊은 묵상을 나누며 성경 읽기를 병행할 것을 권유합니다. 부모 소그룹 모임은 교회와 가정을 연계해 교육 효과를 더욱 높여 줄 것입니다.

말씀 묵상 ②

● 말씀을 묵상하며 어떻게 가르칠 것인가를 기도로 준비합니다.

DVD **이야기 성경** '가스펠 설교'에서 사용하는 구어체 설교입니다. 같은 내용의 영상이 지도자용 팩에 있습니다.

환영 아이들을 맞이하며 나눌 수 있는 대화의 소재를 제안합니다.

마음 열기 이 과의 주제와 연결된 간단한 게임 활동을 소개합니다.

③ 가스펠 준비

● 사전 활동을 살펴봅니다.

4 가스펠 설교

- **도입 - 전개 - 가스펠 링크 - 복음 초청 - 적용**에 이르는 설교 가이드입니다.

들어가기 도입 아이디어를 소개합니다.

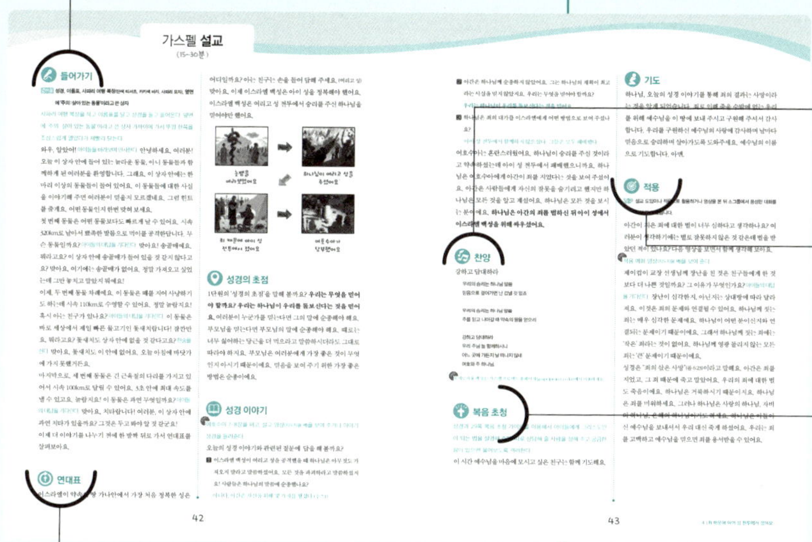

찬양 단원 주제를 담은 찬양, 악보, 율동을 지도자용 팩, 가스펠 프로젝트 홈페이지(gospelproject.co.kr)에서 만날 수 있습니다.

적용 에피소드를 담은 영상과 질문이 담겨 있습니다. 설교 도입이나 적용 부분에서 활용하거나 영상을 본 뒤 소그룹에서 풍성한 대화를 이어가는 방법도 추천합니다.

복음 초청 매주 복음을 전하고 영접 기도를 이끌 수 있는 초청 대화를 담았습니다.

연대표 가스펠 프로젝트(하나님의 구원 계획)의 큰 흐름 속에서 각 과의 위치를 파악해 봅니다.

5 가스펠 소그룹

- 예배 후 소그룹 모임에서 배운 내용을 되새길 수 있는 다양한 활동을 소개합니다.

보물 상자 성경의 메시지와 내 삶을 연결해 보고, 하나님과 일대일 대화를 나누듯 마음을 고백하는 마무리 활동입니다.

나침반 재미있는 게임 활동으로 단원 암송을 익히게 합니다. 부록의 단원 암송 자료와 지도자용 팩의 파일을 활용할 수 있습니다.

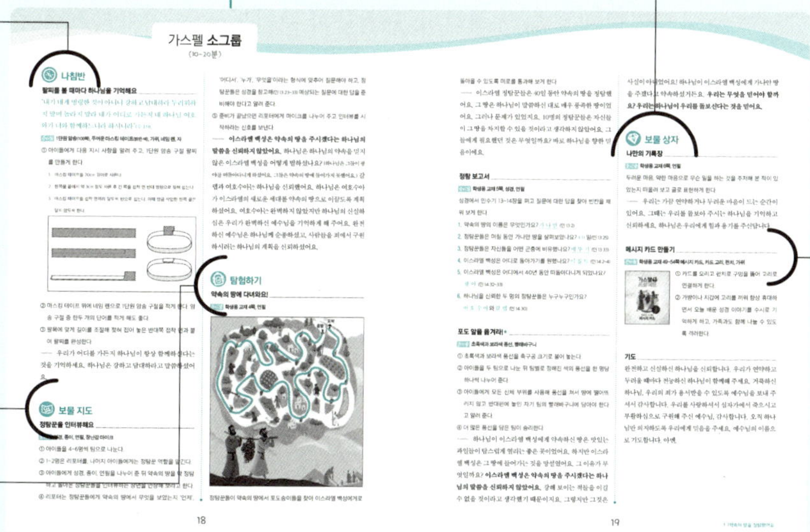

보물 지도 퀴즈와 게임을 통해 성경 이야기를 복습하는 활동입니다.

탐험하기 성경 이야기의 의미를 묵상하며 주제, 가스펠 링크, 성경의 초점 등을 되새기는 확장 활동입니다.

메시지 카드 각 과의 핵심 내용과 가족과 함께하는 활동을 담았습니다.

＊지도자용 팩의 PC 전용 DVD-Rom에 영상, 그림, 음원, 악보, PPT 등의 자료가 있습니다.

발간사

두란노서원을 통해 라이프웨이(LifeWay)의 《가스펠 프로젝트》 성경 공부 교재 시리즈를 발간할 수 있도록 인도하신 하나님께 감사드립니다. 험한 소리로 가득한 세상에 이 책을 다릿돌처럼 놓습니다. 우리 삶은 말씀을 만난 소리로 풍성해져야 합니다. 주님을 만난 기쁨의 소리, 진실 앞에서 탄식하는 소리, 죄를 씻는 울음소리, 소망을 품은 기도 소리로 가득해야 합니다.

《가스펠 프로젝트》는 신구약을 관통하는 예수 그리스도의 복음을 발견하고, 그 가르침을 삶에 적용하는 지혜를 얻도록 기획한 성경 공부 교재입니다. 어린아이부터 어른에 이르기까지 생애 주기에 따른 복음 메시지를 잘 배울 수 있습니다. 또한, 거짓 진리가 미혹하는 이 시대에 건강한 신학과 바른 교리로 말씀을 조명하여 성도의 신앙이 좌로나 우로나 치우치지 않도록 돕습니다.

두란노서원은 지금까지 "오직 성경, 복음 중심, 초교파적 관점"을 바탕으로 한국 교회와 성도를 꾸준히 섬겨 왔습니다. 오직 성경의 정신에 입각해 책과 잡지를 출판해 왔으며, 성경에 근거한 복음 중심의 신학을 포기한 적이 없습니다. 그리고 교단과 교파를 초월하여 교회와 성도가 하나님 나라를 바라볼 수 있도록 돕기 위해 노력해 왔습니다. 《가스펠 프로젝트》는 두란노가 지켜 온 세 가지 가치를 충실하게 담은 책입니다.

성경은 구원을 위한 책이며, 구원사의 주인공은 예수 그리스도입니다. 창세기부터 요한계시록까지 오직 예수 그리스도의 복음만을 전하는 《가스펠 프로젝트》 성경 공부 교재를 통해 복음의 은혜와 진리를 깊이 경험하고, 복음 중심의 삶이 마음 판에 새겨지기를 바랍니다. 그리고 예수 그리스도 복음에 굳게 선 한 사람의 영향력이 가정과 교회와 사회에 흘러감으로써 거룩한 하나님 나라가 확산되어 가기를 소망합니다.

두란노서원 원장 **이 형 기**

감수사

《가스펠 프로젝트》는 어린이와 청소년 성경 공부를 위한 좋은 교재입니다. 그들이 이해할 수 있는 언어로 성경을 자세히 알 수 있도록 도와주고 있기 때문입니다. 어린이와 청소년의 발달심리에 익숙한 전문가들을 포함해 많은 사람이 참여해 애쓴 흔적이 보입니다.

《가스펠 프로젝트》는 인류를 향한 하나님의 구원 계획인 복음을 다음과 같은 과정으로 설명합니다. "첫째, 하나님은 다스리신다. 둘째, 우리는 죄를 범했다. 셋째, 그러나 하나님은 공급하신다. 넷째, 하나님의 아들 예수 그리스도께서는 우리에게 영생을 주시고 우리를 초청하신다. 다섯째, 우리는 예수님의 초청에 응답해야 한다." 이와 같이 《가스펠 프로젝트》는 복음을 주시는 하나님의 계획에 사람이 어떻게 반응해야 하는지를 간단하게, 그리고 핵심을 놓치지 않고 잘 설명합니다. 그러므로 《가스펠 프로젝트》에 참여하는 교사와 학생은 하나님의 주권과 언약, 신실하심과 사랑을 배우고 깊이 느낄 수 있을 것입니다. 성령의 인도하심에 순종하는 것이 얼마나 복된지 몸소 체험할 수 있을 것입니다.

그때, 그곳에서, 그들에게 주어졌던 하나님의 말씀을 지금, 여기에서, 우리에게 주어지는 하나님의 말씀으로 받아들이고 해석하려면 해석학적 간격(hermeneutical gap)이 존재한다는 점을 유념하고, 말씀을 적절하게 해석해 적용해야 합니다. 하나님의 말씀은 성령의 조명을 받아 학문이 없는 사람도 그 핵심적인 메시지를 이해할 수 있지만, 모든 성경을 자의적으로 해석하는 우를 범해서는 안 됩니다. 《가스펠 프로젝트》는 이러한 해석상의 오류를 최소한도로 줄여 줄 수 있다고 봅니다. 가능하면 말씀에 담긴 메시지를 전달하려고 노력했기 때문입니다. 이런 점에서 《가스펠 프로젝트》는 하나님의 마음을 더 깊이 이해하기 위한 기본적인 성경 지식을 제공해 주고, 말씀의 깊은 샘으로 들어가 맛있는 물을 마실 수 있도록 돕는 좋은 통로입니다.

《가스펠 프로젝트》로 성경을 공부하게 되면 성경 말씀을 사랑하게 될 것입니다. 어린이들과 청소년들도 '말씀이 참 재미있고 유익하구나'라고 느끼게 될 것입니다. 레너드 스윗이 말한 것처럼, 미래 세대는 경험적, 참여적, 이미지 중심적, 연결적(EPIC) 사역을 통해 말씀 속으로 자발적으로 들어와야 거룩한 하나님의 백성이 될 수 있기 때문입니다.

모쪼록 《가스펠 프로젝트》를 통해 모든 세대가 하나님을 더 넓고 깊게 알아 가며, 성령의 도우심 가운데 예수님의 튼실한 제자로 성장하기를 원합니다. 아울러 세상 속에서 하나님 나라를 확장시켜 나가는 하나님의 백성이 되는 기초를 체계적으로 다질 수 있기를 바랍니다. 《가스펠 프로젝트》는 오직 믿음, 오직 성경, 오직 은혜, 오직 그리스도를 통해 하나님께 영광 돌리는 데 큰 도움이 될 것입니다.

김도일 _ 장로회신학대학교, 기독교교육학 교수

《가스펠 프로젝트》는 무엇보다도 전통적으로 교회가 풀어 온 흐름을 충실히 따라 성경을 해설하고 있습니다. 그리고 그 방향은 궁극적으로 예수 그리스도를 향해 나아가고 있습니다. 이것은 예수님이 구약과 신약의 모든 성경이 자신을 가리키고 있다고 하신 말씀에 비추어 매우 타당한 것입니다. 게다가 그리스도 중심적 해설을 무리하게 전개하지 않습니다. 각 본문에서 하나님의 구원 언약과 그것을 실현하시는 하나님을 드러내면서, 그리스도의 예표적 설명이 가능한 사건을 놓치지 않고 풀어내고 있습니다.

성경 공부 교재는 명시적으로 혹은 암시적으로 제시하

는 교리적 진술이 교리 체계상 건전해야 합니다. 《가스펠 프로젝트》는 99개 조에 이르는 핵심 교리들을 일목요연하게 제시하여 교리의 건전성을 확인할 수 있도록 도움을 줍니다. 《가스펠 프로젝트》의 교리는 교파를 막론하고, 예수 그리스도의 복음에 충실한 복음주의 교회들에게 환영받을 만합니다. 물론 교파마다 약간의 이견을 갖는 부분들이 있을 수 있겠지만, 각 교회에서 교재를 활용하는 데에 무리가 없을 것입니다. 《가스펠 프로젝트》의 특징은 각 과에서 학습한 내용을 핵심 교리와 연결해 주며, 그 결과 그리스도의 복음에 관련한 교리적 이해를 강화시킨다는 데에 있습니다.

끝으로 《가스펠 프로젝트》는 어떤 성경 주해서나 교리 학습서가 갖지 못하는 훌륭한 장점을 가지고 있습니다. 그것은 학습자를 하나님과 그리스도의 복음 앞으로 이끌며, 자신의 신앙과 삶을 돌아보도록 하는 적용의 적실성과 훈련의 효과입니다. 아울러 본문과 관련한 교회사적으로 또 주석적으로 중요한 신학자와 목사의 어록을 제시하고, 심화 토론을 위한 질문을 달아 주고, 선교적 안목을 열어 주는 적용 질문들을 더해 준 것은 《가스펠 프로젝트》에서 얻을 수 있는 커다란 유익입니다.

추천할 만한 마땅한 성경 공부 교재를 찾기가 쉽지 않은 현실에서 《가스펠 프로젝트》는 성경을 개괄적으로 매주 한 과씩 3년의 기간 동안 일목요연하게, 그리고 그리스도 중심적으로 공부하도록 이끌어 준다는 점에서, 한국 교회의 기초를 성경 위에 놓는 일에 커다란 공헌을 할 것으로 믿어 의심치 않습니다.

김병훈 _ 합동신학대학원대학교 조직신학 교수

"보라 날이 이를지라 내가 기근을 땅에 보내리니 양식이 없어 주림이 아니며 물이 없어 갈함이 아니요 여호와의 말씀을 듣지 못한 기갈이라"(암 8:11). 주전 8세기 아모스 선지자의 외침이 오늘 이 시대에 다시 메아리쳐 오고 있습니다. 두란노의 《가스펠 프로젝트》는 성도들이 겪고 있는 영적인 갈증과 혼란을 해소해 줄 수 있는 유익한 성경 공부 교재입니다.

첫째, 《가스펠 프로젝트》는 성경 전체 흐름과 문맥에 따라 구성되어 성경의 큰 그림을 볼 수 있도록 도와줍니다. 또 성경 각 본문의 의미를 깊이 이해할 수 있도록 해당 분야의 전문 성경 신학자들의 주석적 견해를 잘 소개하고 있습니다. 둘째, 본문 연구와 함께 관련 핵심 교리들을 적절하게 소개하여 성경과 교리를 연결할 수 있습니다. 또 모든 과에서 그리스도와의 연결점을 찾아 제시함으로써 구약 본문을 통해서도 복음을 깨달을 수 있습니다. 성경 공부 전 과정을 마치면 성도들이 복음에 대한 견고한 믿음을 가지게 될 것입니다. 셋째, 성경 공부 적용의 초점을 선교에 맞추어 성도들이 삶의 현장에서 복음의 증인으로서의 사명을 감당할 수 있게 도와줍니다. 마지막으로 주일학교에서 장년에 이르기까지 동일한 주제와 본문으로 성경을 공부하도록 구성하였기 때문에 모든 교인이 한 말씀 안에서 한 믿음의 공동체를 이루며 성숙해 가는 영적 부흥을 경험하게 될 것입니다.

두란노의 《가스펠 프로젝트》를 통해 말씀이 갈급한 기근의 시대에 영적 해갈의 기쁨을 경험하시기 바랍니다.

이희성 _ 총신대학교 신학대학원 구약학 교수

추천사

우리를 향한 하나님의 멈추지 않는 사랑, 아들을 내어 주신 아버지 하나님의 놀라운 구원 계획에 눈뜨게 하는 교재입니다. 성경을 꿰뚫는 변함없는 메시지, 예수 그리스도를 만날 수 있는 교재입니다. 유익한 활동과 흥미로운 반복 학습을 통해 기독교 핵심 주제를 접하고, 말씀을 가까이하며, 가족과 묵상을 나누도록 이끄는 방식에 기대가 큽니다. 다양한 소재의 영상과 그림 자료는 시청각 자료가 부족한 교육 현장에 큰 활력을 불어넣어 줄 것입니다. 교재 내용에 맞게 창작된 찬양은 곡조가 있는 산 기도를 체험하게 도와줄 것입니다. 무미건조한 습관적 예배, 아이들과 소통하지 못해 안타까워했던 부모와 교사, 다음 세대를 걱정하는 교회 지도자들에게 이 교재를 추천합니다.

김요셉 _ 중앙기독학교 교목, 원천침례교회 목사

우리 시대의 전 세계적 교회 부흥은 두 가지 샘을 갖고 있습니다. 한 샘은 오순절 부흥 운동의 샘입니다. 이 샘으로 많은 시대의 목마른 영혼들이 목마름을 해갈했습니다. 또 하나의 샘은 성경 연구의 샘입니다. 남침례교 주일학교 운동은 이 샘의 개척자입니다. 이 샘으로 지금도 많은 성도가 목마름을 해갈하고 있습니다. 미국 남침례교 라이프웨이 출판사는 성경 연구를 돕는 사역을 충실히 감당해 왔습니다. 《가스펠 프로젝트》는 목마른 영혼들의 필요를 공급하는 원천이 될 것입니다. 《가스펠 프로젝트》는 쉬우면서도 결코 피상적이지 않습니다. 믿음의 단계를 따라 하나님의 자녀들에게 꼭 필요한 복음의 진수를 맛보게 해 줄 것입니다.

이동원 _ 지구촌교회 원로 목사, 지구촌 미니스트리 네트워크 대표

성경을 공부한다는 것은 성경에 기록된 사실을 배우는 것이 아니라 성경이 가르치는 교리를 배우는 것입니다. 왜냐하면 성경은 독자에게 어떤 새로운 정보를 주기 위해 인간이 쓴 책이 아니라 죄인인 인간에게 구원을 주기 위해 하나님이 쓰신 말씀이기 때문입니다. 그런데 이 구원의 도리인 교리를 성경 본문을 통해 배우기가 쉽지 않기 때문에 좋은 안내서가 필요합니다. 이번에 출간된 《가스펠 프로젝트》는 이와 같은 역할을 탁월하게 수행하고 있기 때문에 기쁜 마음으로 추천합니다.

이성호 _ 고려신학대학원 역사신학 교수

성경은 예수 그리스도를 중심으로 하는 하나님의 구원 이야기입니다. 《가스펠 프로젝트》는 성경이 어떻게 그리스도와 연결되어 있는지, 또 성도의 삶이 하나님의 구원 계획에 어떻게 연결되어야 하는지를 구체적으로 제시합니다. 특히 《가스펠 프로젝트》는 하나의 본문으로 각 연령에 맞게 구성한 교재를 제공해 하나의 본문으로 전 세대를 연결하고, 가정과 교회를 하나 되게 합니다. 신앙의 전수가 중요한 시대에 성도와 교회와 가정이 한마음으로 다음 세대를 준비시키기에 적합합니다. 특히 가정에서 부모가 자녀와 말씀으로 대화를 나눌 수 있게 해 자녀의 신앙 교육에 도움이 될 것입니다.

이재훈 _ 온누리교회 담임 목사

예수님은 친히 요한복음 5장 39절에서, 모든 성경은 예수님 자신에 대한 증거라고 말씀하셨습니다. 그럼에도 불구하고, 성도들은 그 속에서 예수님이라는 보석을 쉽게 찾아 내지 못하고 있습니다. 《가스펠 프로젝트》는 신앙생활을 출발하는 어린이부터 장년까지 이런 눈을 활짝 열어 주는 놀라운 교재입니다. 요람에서부터 무덤까지 각 연령대에 맞게 구성된 《가스펠 프로젝트》 성경 공부 교재를 통해, 한국 교회와 이민 교회가 잃어버린 예수님을 다시 발견함으로 견고하게 되기를 바랍니다.

최병락 _ 강남중앙침례교회 담임 목사

1 단원

구원의 하나님

이스라엘 백성은 약속의 땅에 들어가기 전 40년 동안 광야를 헤맸습니다. 이스라엘 백성은 그 땅을 정복해야 했으며, 하나님은 그들을 위해 싸우셨습니다. 여호수아는 이스라엘 백성을 인도했고, 그들이 유일한 진짜 신이신 하나님께 신실하도록 격려했습니다.

약속의 땅을
정탐했어요

놋뱀을
바라보았어요

하나님이
여리고 성을
주셨어요

The Gospel Project

여호수아가
당부했어요

죄 때문에
아이 성 전투에서
졌어요

카운트다운 – 돌고 도는 세상

카운트다운 영상(지도자용 팩)을 틀고 예배 준비 자세를 취하도록 격려한다. 예배가 시작되는 시간에 영상이 끝나도록 맞추어 놓는다. 영상이 끝나기 30초 전에 예배 인도자는 정 위치에 서서 조용히 기도하는 모범을 보인다.

무대 배경 – 체험 동물원

매주 곤충, 파충류, 가축 등이 있는 체험 동물원을 만든다. 벽에 동물 포스터를 걸고 동물마다 이름표를 붙인다. 그리고 예배실 앞쪽에 뚜껑이 있는 작은 상자를 놓아 둔다. 상자의 옆면에 '주의: 살아 있는 동물'이라고 쓴다. 화면에 체험 동물원 배경 이미지(지도자용 팩)를 띄운다.

1

약속의 땅을 정탐했어요

민 13:1~14:38

단원 암송

내가 네게 명령한 것이 아니냐 강하고
담대하라 두려워하지 말며 놀라지 말라
네가 어디로 가든지 네 하나님 여호와가
너와 함께하느니라 하시니라(수 1:9).

성경의 초점

우리는 무엇을 믿어야 할까요?
우리는 하나님이 우리를 돌보신다는 것을
믿어요.

본문 속으로

하나님은 이스라엘 백성을 이집트에서 구하시기에 앞서 오래전 아브라함에게 약속하셨던 땅으로 그들을 데려가겠다고 약속하셨습니다(출 3:8). 그리고 하나님은 이스라엘 백성을 약속의 땅으로 인도하셨습니다.

약속의 땅이 가까워지자 하나님은 모세에게 정탐꾼들을 보내 그 땅을 살펴보게 하셨습니다. 12명의 정탐꾼들은 40일 동안 그 땅을 둘러보았습니다. 그 땅은 하나님이 약속하신 대로 젖과 꿀이 흐르는 땅이었습니다. 그러나 한 가지 문제가 있었습니다. 그곳에 사는 사람들이 매우 크고 강했던 것입니다.

정탐꾼들 중 하나였던 갈렙은 "우리가 곧 올라가서 그 땅을 취하자 능히 이기리라"(민 13:30)라고 말했습니다. 갈렙은 하나님이 함께하시면 어떤 것도 가능하다고 믿었습니다. 여호수아와 갈렙은 하나님이 어떤 분이신지 이해하고 있었습니다. 하나님은 한 번 하신 약속은 반드시 지키시는 분입니다.

그러나 10명의 정탐꾼들의 부정적인 보고를 들은 이스라엘 백성은 모두 두려워했습니다. 그날 밤 그들은 약속의 땅으로 인도하겠다는 하나님의 약속을 믿을 수 없어서 낙담했고, 모두 슬피 울었습니다. 그러고는 자신들을 이집트로 다시 데려갈 새로운 지도자를 뽑을 계획을 세웠습니다.

하나님은 이스라엘 백성을 기뻐하지 않으셨습니다. 그들은 하나님으로부터 돌이켜 스스로를 의지했기 때문입니다. 하나님은 그들을 모두 쓸어버리겠다고 하셨지만, 모세는 이스라엘 백성을 위해 중재자가 되어 기도했습니다. 하나님은 갈렙과 여호수아를 제외하고 하나님께 죄를 지은 사람은 그 누구도 약속의 땅에 들어가지 못할 것이라고 말씀하셨습니다. 이로써 이스라엘 백성은 40년 동안 광야를 헤매게 되었습니다.

티칭 포인트

이스라엘 백성이 하나님이 그들을 인도하신다는 사실을 믿지 못하는 죄를 지었다는 것을 아이들이 이해하도록 도와주십시오. 아울러 하나님의 아들이신 예수님은 아버지의 계획에 완전히 순종해 사람들을 죄에서 구원하셨다는 사실을 강조해서 말해 주십시오.

주 제

이스라엘 백성은 약속의 땅을 주시겠다는 하나님의 말씀을 신뢰하지 않았어요.

가스펠 링크

여호수아는 새로운 세대를 약속의 땅으로 인도하시려는 하나님의 계획을 신뢰했어요. 예수님은 모든 사람을 죄에서 구원하시려는 하나님의 계획을 신뢰하셨어요.

약속의 땅을 정탐했어요 민 13:1~14:38

하나님이 모세에게 말씀하셨어요. "사람들을 보내 내가 이스라엘 백성에게 줄 가나안 땅을 살펴보게 하라. 각 지파 중에서 지도자 한 사람씩을 보내라." 모세는 하나님이 말씀하신 대로 각 지파에서 한 사람씩을 뽑아 12명의 정탐꾼들을 세웠어요. "너희는 그 땅을 살펴보라. 그곳에 사는 사람들이 힘이 센지 약한지, 수가 많은지 적은지, 그들이 사는 땅이 좋은지 나쁜지, 성벽이 있는지 튼튼한지, 그 땅이 농사짓기에 적합한지, 나무는 있는지 없는지 알아보라. 담대하라. 그리고 그 땅의 열매들을 가지고 돌아오라."

정탐꾼들은 40일 동안 약속의 땅을 살펴보았고, 포도송이들을 잘라 막대기에 매달고 석류와 무화과를 따서 가져왔어요. 그리고 모세와 아론과 이스라엘 백성 앞에 나아가 그들이 본 것을 보고하고 과일들을 보여 주었어요. "그 땅은 매우 기름집니다. 젖과 꿀이 흐르는 땅입니다. 그러나 그 땅에 사는 사람들은 강하고, 성읍은 크고 튼튼합니다."

가나안 땅을 살펴보고 온 정탐꾼 중에서 갈렙은 이렇게 말했어요. "그 땅을 정복해야 합니다. 하나님이 도우시면 우리는 할 수 있습니다!" 그러나 여호수아를 제외한 나머지 정탐꾼들의 생각은 달랐어요. "우리는 그 백성을 이기지 못합니다. 그들은 우리보다 강합니다. 그들과 비교하면 우리는 메뚜기와 같을 뿐입니다!"

이스라엘 백성은 두려워서 밤새도록 통곡했어요. 그들은 모세와 아론이 자신들을 가나안으로 인도해 죽게 만들었다고 생각했어요. "새로운 지도자를 세워서 이집트로 돌아갑시다!" 그러자 모세와 아론은 이스라엘 백성 앞에서 엎드렸어요. 여호수아와 갈렙은 입고 있던 옷을 찢어 버리고 이스라엘 백성에게 말했어요. "우리가 정탐한 땅은 매우 아름다운 땅입니다. 하나님이 우리를 기뻐하신다면 우리에게 그 땅을 주실 것입니다. 그 땅에 살고 있는 사람들을 두려워하지 마십시오. 하나님은 우리와 함께하십니다!" 그러나 이스라엘 백성은 그들을 돌로 치려 했어요.

그때 하나님이 모세에게 말씀하셨어요. "이 백성이 어느 때까지 나를 업신여기겠느냐? 어느 때까지 나를 믿지 못하겠느냐?" 하나님은 모든 백성을 멸망시키겠다고 하셨어요. 그러자 모세가 간절히 기도했어요. "이스라엘 백성의 죄를 용서해 주십시오. 주님은 위대하고 신실한 사랑의 하나님이십니다." 모세의 기도를 들으신 하나님은 이렇게 말씀하셨어요. "네가 말한 대로 그들을 용서하겠다. 그러나 그들 중 누구도 내가 그 조상들에게 맹세한 가나안 땅을 보지 못할 것이다."

다만 갈렙과 여호수아는 하나님을 온전히 따랐어요. 하나님은 그들에게 하나님의 백성을 약속의 땅으로 인도하도록 하셨어요. 하나님은 하나님을 신뢰하지 않은 사람들은 죄의 대가를 받게 될 것이라고 하셨어요. 그들은 광야에서 40년을 헤매며 약속의 땅에 들어가지 못하게 되었어요. 가나안 정탐꾼들 중 10명은 모두 죽었고, 여호수아와 갈렙만 살아남았어요.

가스펠 링크

갈렙과 여호수아는 하나님을 신뢰했어요. 하나님은 여호수아가 이스라엘의 새로운 세대를 약속의 땅으로 이끌도록 계획하셨어요. 완전하신 예수님은 하나님께 순종하셨고, 사람들을 죄에서 구원하시려는 하나님의 계획을 신뢰하셨어요.

가스펠 준비

(10~20분)

환영

도착하는 아이들을 반갑게 맞이하고 헌금, 출석, QT 등을 확인하며 격려한다. 새 친구가 있다면 소개한다. 편안한 분위기에서 안부를 물으며 오늘의 말씀과 관련된 화제로 이야기를 나눈다. 아이들에게 새로운 땅으로 여행을 하는 상상을 해 보라고 한 뒤 오늘 우리는 약속의 땅인 가나안을 살펴보러 떠난 정탐꾼들에 대해 배울 것이라고 알려 준다. 자발적으로 대화에 참여하도록 이끈다.

예) "가장 가고 싶은 여행지는 어디인가요?", "여행을 떠날 때 한 가지만 가져갈 수 있다면 무엇을 가져가고 싶나요?" 등.

마음 열기

가나안을 정탐하라! *

준비물 눈가리개, '가나안'이라고 적은 깃발

① 아이들을 두 팀으로 나눈 뒤 정탐꾼 팀과 가나안 팀을 정해 준다.

② 정탐꾼 팀을 출발선에 양옆으로 길게 세우고, 반대편에 멀리 놓아 둔 '가나안' 깃발을 가지고 돌아와야 한다는 게임의 규칙을 설명해 준다. 이때 깃발의 수는 정탐꾼 팀원들의 수와 같도록 한다.

③ 가나안 팀은 눈가리개를 한 상태에서 지나가는 정탐꾼 팀원들을 손으로 쳐서 탈락시켜야 한다고 말해 준다.

④ 인도자의 "출발!" 신호와 함께 게임을 시작하고, 마지막 아이가 깃발을 들고 출발선으로 돌아오면 가져온 깃발들의 숫자를 센다.

⑤ 팀 역할을 바꾸어 한 번 더 진행한다. 더 많은 깃발을 가져온 팀이 승리한다.

— 오늘의 성경 이야기에서 이스라엘 백성은 12명의 정탐꾼들을 뽑아 가나안 땅을 살펴보게 했어요. 하나님이 약속하신 땅을 확인하기 위해서였지요. 과연 12명의 정탐꾼들은 성공적으로 가나안 땅에 다녀올 수 있을까요? 오늘의 성경 이야기를 통해서 확인해 보아요.

뒤죽박죽 이야기 만들기 *

DVD 준비물 '뒤죽박죽 이야기'(108쪽 또는 지도자용 팩), 화이트보드, 보드마커, 연필

① '뒤죽박죽 이야기'의 1~20번 "질문에 답해 보세요" 부분만 보이도록 복사하거나 점선대로 접어 둔다.

② 아이들에게 동사, 형용사, 명사 등의 용례를 설명하고 순서대로 또는 자원자에게 질문을 한다.

③ 아이들이 말하는 답을 "질문에 답해 보세요"의 답지 또는 화이트보드에 적는다.

④ '뒤죽박죽 이야기' 문장 부분을 펼치고 아이들이 불러 준 답으로 빈칸을 채운 뒤 큰 소리로 함께 읽어 본다.

⑤ 아이들의 수가 많으면 '뒤죽박죽 이야기' 문장 부분을 여러 장 복사해 나누어 주어 직접 답을 쓰게 하거나 소그룹으로 나누어 활동하는 것이 좋다.

— 어디서 많이 들어 본 이야기 같지요? 좀 어리석은 이야기예요. 오늘 우리는 이스라엘 백성이 하나님의 명령을 따라서 약속의 땅으로 들어가기 바로 전에 일어났던 일에 대해 배울 거예요.

가스펠 설교

(15~30분)

들어가기

준비물 성경, 이름표, 사파리 여행 복장(단색 티셔츠, 카키색 바지, 사파리 모자), 옆면에 '주의 : 살아 있는 동물'이라고 쓴 상자

사파리 여행 복장을 하고 이름표를 달고 성경을 들고 들어온다. 옆면에 '주의 : 살아 있는 동물'이라고 쓴 상자 가까이에 가서 뚜껑 한쪽을 조심스럽게 열었다가 재빨리 닫는다.

와! 아이들에게 말을 건다. 안녕하세요, 여러분! 오늘은 이 상자 안에 있는 놀라운 동물과 함께하게 되었어요. 흠, 이 동물과 비슷한 것이 무엇이 있을까요? 여러분 중에 체험 동물원에 가 본 친구가 있나요? 여러분이 이 동물을 만져 보고 싶어 할지 모르겠네요. 이 동물은 아주 안전할 거예요. 그런데 으…! 몸서리친다.

이 동물은 오늘의 성경 이야기를 생각나게 해요. 오늘의 성경 이야기에서 아주 중요한 부분은 아니지만 작은 동물치고는 나름대로 큰 부분을 차지하고 있거든요. 여러분 중에 이 동물이 무엇인지 짐작이 가는 친구가 있나요? 아이들의 대답을 기다린다. 힌트를 줄게요. 자기 몸보다 10배나 높이 점프할 수 있고, 자기 몸보다 20배나 멀리 뛸 수 있어요! 만약 여러분의 키가 120cm 정도 된다면 12m까지 높이 점프할 수 있고, 24m까지 멀리 뛸 수 있는 거예요! 놀랍지요! 더 이야기하기 전에 연대표를 함께 볼까요?

연대표

우리가 연대표의 어디쯤에 와 있나 한번 살펴볼게요. 성경에 나오는 모든 작은 이야기들은 성경이 보여 주는 하나의 큰 그림을 완성하는 조각들이라는 사실을 기억하세요. 성경의 이야기들은 사람들이 어떻게 하나님을 떠났는지에 대한 이야기와 하나님이 아들이신 예수님을 이 땅에 보내 우리를 죄에서 구원하시고 다시 하나님께로 인도하신 이야기예요.

우리는 하나님이 이스라엘 백성을 어떻게 이집트의 포로 생활에서 구하셨는지 배웠어요. 하나님은 모세를 통해 이스라엘 백성을 약속의 땅으로 인도하셨어요.

연대표에서 "약속의 땅을 정탐했어요"를 가리킨다. 오늘의 성경 이야기에서 모세는 약속의 땅으로 정탐꾼들을 보내어 그 땅을 살펴보게 했어요. 정탐꾼들 중에는 여호수아와 갈렙도 있었어요. 그들이 무엇을 찾았는지 궁금하네요!

성경의 초점

정탐꾼들이 무엇을 찾았든지 두려워할 필요는 없어요. 하나님이 이스라엘 백성에게 약속의 땅을 주겠다고 약속하셨기 때문이지요. 1단원의 '성경의 초점' 질문은 **"우리는 무엇을 믿어야 할까요?"**예요. 오늘의 성경 이야기에서 질문에 대한 답을 찾아보아요.

성경 이야기

DVD 민수기 13~14장을 펴고, 설교 영상(지도자용 팩)을 보여 주거나 이야기 성경을 들려준다.

우리는 무엇을 믿어야 할까요? 우리는 하나님이 우리를 돌보신다는 것을 믿어요. 약속의 땅으로 들어갔던 모든 정탐꾼 중에서 하나님을 신뢰했던 사람들은 누구누구였나요? (여호수아와 갈렙)

갈렙은 사람들에게 "우리는 가서 그 땅을 정복해야 합니다. 하나님이 도우시면 우리는 할 수 있습니다!"라고 말했어요. 그러나 여호수아를 제외한 나머지 정탐꾼들은 동의하지 않았어요. 정탐꾼들은 가나안 땅에 사는 사람들이 자신들보다 훨씬 강하다고 말했어요. "그들과 비교하면 우리는…" 옆면에 '주의 : 살아 있는 동물'이라고 쓴 상자를 들어 보인다. 무엇과 같다고 말했을까요? 그래요, 메뚜기예요! 상상해 보세요. 가나안 땅에

사는 사람들이 너무 크고 강해서 자신들이 메뚜기처럼 느껴졌던 거예요.

이스라엘 백성이 왜 그렇게 두려워했는지 우리는 이해할 수 있어요. 그들은 하나님을 믿지 않았거든요. 하지만 여호수아와 갈렙은 굳은 믿음을 가지고 있었어요. 그들은 하나님이 살아 계시다는 사실을 믿었고, 하나님이 하겠다고 약속하신 일은 능히 이루실 것이라고 믿었어요. **우리는 무엇을 믿어야 할까요? 우리는 하나님이 우리를 돌보신다는 것을 믿어요.**

이스라엘 백성은 약속의 땅을 주시겠다는 하나님의 말씀을 신뢰하지 않았어요. 그래서 하나님은 그들을 벌하셨어요. 하나님은 정탐꾼들과 하나님을 믿지 않았던 사람들은 모두 약속의 땅으로 들어가지 못할 것이라고 말씀하셨어요. 그 후 이스라엘 백성은 광야에서 40년을 떠돌아다녔어요. 이스라엘 백성의 자녀들과 여호수아와 갈렙만이 약속의 땅으로 들어갈 수 있었답니다.

우리는 때때로 하나님을 신뢰하지 못하지만 하나님은 항상 신실하세요. 하나님은 아들이신 예수님을 이 땅에 보내셔서 우리를 죄에서 구원하셨어요. 예수님은 하나님을 신뢰하셨고, 죽기까지 온전히 순종하셨어요. 예수님을 주님이자 구세주로 믿는 사람은 누구나 약속의 땅에 들어가 하나님과 영원히 함께 살 수 있어요.

복/습/질/문

성경 이야기를 얼마나 기억하고 있는지 알아볼까요? 답을 아는 친구는 손을 들어 주세요.

1 약속의 땅으로 들어간 정탐꾼들은 모두 몇 명이었나요?

각 지파의 지휘관들로서 12명 (민 13:2)

2 정탐꾼들이 가지고 온 과일들은 무엇이었나요?

포도, 석류, 무화과 (민 13:23)

3 하나님이 약속의 땅을 주실 것이라며 하나님을 신뢰했던 정탐꾼들은 누구인가요?

갈렙과 여호수아 (민 13:30, 14:6)

4 하나님은 하나님을 신뢰하지 않는 이스라엘 백성을 어떻게 벌하셨나요?

광야에서 40년간 떠돌아다니다 죽게 하셨다 (민 14:27~38)

5 **우리는 무엇을 믿어야 할까요?**

우리는 하나님이 우리를 돌보신다는 것을 믿어요.

복음 초청

성경과 29쪽 복음 초청 가이드를 이용해서 아이들에게 그리스도인이 되는 법을 설명해 준다. 따로 상담해 줄 사람을 정해 주고 궁금한 점이 있으면 물어보도록 격려한다.

이 시간 예수님을 마음에 모시고 싶은 친구는 함께 기도해요.

기도

하나님은 언제나 약속을 지키신다는 것을 믿습니다. 어떤 일이 있든지 언제나 약속을 지키시는 하나님을 신뢰하기 원합니다. 예수님을 믿는 사람은 누구든지 용서해 주시는 하나님, 감사드립니다. 예수님의 이름으로 기도합니다. 아멘.

적용

TIP 설교 도입이나 적용으로 활용하거나 영상을 본 뒤 소그룹에서 풍성한 대화를 이어 갈 수 있습니다.

여러분 중에 정말 말도 안 되는 약속을 한 친구가 있나요? 한 번 이야기해 줄 수 있나요? 아이들의 대답을 기다린다. 와, 진짜 말도 안 되는 약속이네요! 다음 영상을 함께 볼까요?

DVD 적용 예화 영상(지도자용 팩)을 보여 준다.

아이들이 지키기 어려웠거나 지킬 수 없었던 약속에 대해 나누어 보게 한다.

때로는 다른 사람을 믿는 일이 어려울 수 있어요. 사람들이 항상 약속을 지키는 것은 아니거든요. **이스라엘 백성은 약속의 땅을 주시겠다는 하나님의 말씀을 신뢰하지 않았어요.** 하지만 하나님은 항상 약속을 지키시는 분이에요. **우리는 무엇을 믿어야 할까요? 우리는 하나님이 우리를 돌보신다는 것을 믿어요.**

가스펠 **소그룹**
(10~20분)

나침반

팔찌를 볼 때마다 하나님을 기억해요

"내가 네게 명령한 것이 아니냐 강하고 담대하라 두려워하지 말며 놀라지 말라 네가 어디로 가든지 네 하나님 여호와가 너와 함께하느니라 하시니라"(수 1:9).

준비물 1단원 암송(106쪽), 두꺼운 마스킹 테이프(밝은 색), 가위, 네임 펜, 자

① 아이들에게 다음 지시 사항을 알려 주고, 1단원 암송 구절 팔찌를 만들게 한다.

1. 마스킹 테이프를 20cm 길이로 자른다.
2. 한쪽을 끝에서 약 3cm 정도 자른 후 긴 쪽을 접착 면 반대 방향으로 젖혀 접는다.
3. 마스킹 테이프를 접착 면끼리 닿도록 반으로 접는다. 이때 방금 작업한 한쪽 끝은 닿지 않도록 한다.

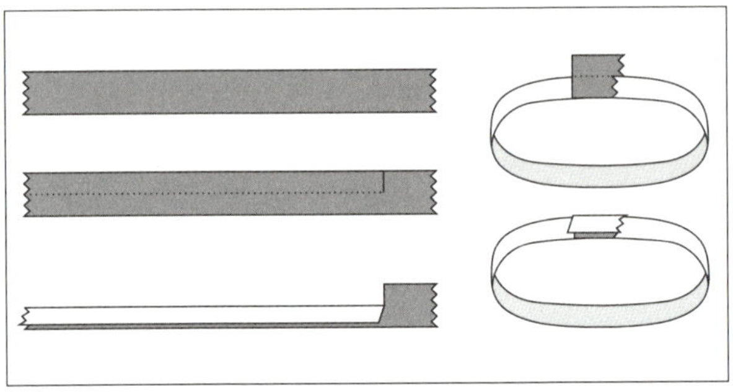

② 마스킹 테이프 위에 네임 펜으로 1단원 암송 구절을 적게 한다. 암송 구절 중 한두 개의 단어를 적게 해도 좋다.

③ 팔목에 맞게 길이를 조절해 젖혀 접어 놓은 반대쪽 접착 면과 붙여 팔찌를 완성한다.

— 우리가 어디를 가든지 하나님이 항상 함께하신다는 것을 기억하세요. 하나님은 강하고 담대하라고 말씀하셨어요.

보물 지도

정탐꾼을 인터뷰해요

준비물 성경, 종이, 연필, 장난감 마이크

① 아이들을 4~6명씩 팀으로 나눈다.

② 1~2명은 리포터를, 나머지 아이들에게는 정탐꾼 역할을 맡긴다.

③ 아이들에게 성경, 종이, 연필을 나누어 준 뒤 약속의 땅을 막 정탐하고 돌아온 정탐꾼들을 인터뷰하는 장면을 연상해 보라고 한다.

④ 리포터는 정탐꾼들에게 약속의 땅에서 무엇을 보았는지 '언제', '어디서', '누가', '무엇을'이라는 형식에 맞추어 질문해야 하고, 정탐꾼들은 성경(민 13:23~33)을 참고해 예상되는 질문에 대한 답을 준비해야 한다고 알려 준다.

⑤ 준비가 끝났으면 리포터에게 마이크를 나누어 주고 인터뷰를 시작하라는 신호를 보낸다.

— **이스라엘 백성은 약속의 땅을 주시겠다는 하나님의 말씀을 신뢰하지 않았어요.** 하나님은 하나님의 약속을 믿지 않은 이스라엘 백성을 어떻게 벌하셨나요? (하나님은 그들이 광야를 떠돌아다니게 하셨어요. 그들은 약속의 땅에 들어가지 못했어요.) 갈렙과 여호수아는 하나님을 신뢰했어요. 하나님은 여호수아가 이스라엘의 새로운 세대를 약속의 땅으로 이끌도록 계획하셨어요. 여호수아는 완벽하지 않았지만 하나님의 신실하심은 우리가 완벽하신 예수님을 기억하게 해 주어요. 완전하신 예수님은 하나님께 순종하셨고, 사람들을 죄에서 구원하시려는 하나님의 계획을 신뢰하셨어요.

탐험하기

약속의 땅에 다녀와요!

준비물 학생용 교재 4쪽, 연필

정탐꾼들이 약속의 땅에서 포도송이들을 찾아 이스라엘 백성에게로

돌아올 수 있도록 미로를 통과해 보게 한다.

— 이스라엘 정탐꾼들은 40일 동안 약속의 땅을 정탐했어요. 그 땅은 하나님이 말씀하신 대로 매우 풍족한 땅이었어요. 그러나 문제가 있었지요. 10명의 정탐꾼들은 자신들이 그 땅을 차지할 수 있을 것이라고 생각하지 않았어요. 그들에게 필요했던 것은 무엇일까요? 바로 하나님을 향한 믿음이에요.

정탐 보고서

준비물 학생용 교재 5쪽, 성경, 연필

성경에서 민수기 13~14장을 펴고 질문에 대한 답을 찾아 빈칸을 채워 보게 한다.

1. 약속의 땅의 이름은 무엇인가요? 가 나 안 (민 13:2)
2. 정탐꾼들은 며칠 동안 가나안 땅을 살펴보았나요? 4 0 일(민 13:25)
3. 정탐꾼들은 자신들을 어떤 곤충에 비유했나요? 메 뚜 기 (민 13:33)
4. 이스라엘 백성은 어디로 돌아가기를 원했나요? 이 집 트 (민 14:2~4)
5. 이스라엘 백성은 어디에서 40년 동안 떠돌아다니게 되었나요?
   광 야 (민 14:32~33)
6. 하나님을 신뢰한 두 명의 정탐꾼들은 누구누구인가요?
   여 호 수 아와 갈 렙 (민 14:30)

포도 알을 옮겨라! *

준비물 초록색과 보라색 풍선, 빨래 바구니

① 초록색과 보라색 풍선을 축구공 크기로 불어 놓는다.

② 아이들을 두 팀으로 나눈 뒤 팀별로 정해진 색의 풍선을 한 명당 하나씩 나누어 준다.

③ 아이들에게 모든 신체 부위를 사용해 풍선을 쳐서 땅에 떨어뜨리지 않고 반대편에 놓인 자기 팀의 빨래 바구니에 담아야 한다고 알려 준다.

④ 더 많은 풍선을 담은 팀이 승리한다.

— 하나님이 이스라엘 백성에게 약속하신 땅은 맛있는 과일들이 탐스럽게 열리는 좋은 곳이었어요. 하지만 이스라엘 백성은 그 땅에 들어가는 것을 망설였어요. 그 이유가 무엇일까요? **이스라엘 백성은 약속의 땅을 주시겠다는 하나님의 말씀을 신뢰하지 않았어요.** 강해 보이는 적들을 이길 수 없을 것이라고 생각했기 때문이지요. 그렇지만 그것은 사실이 아니었어요! 하나님이 이스라엘 백성에게 가나안 땅을 주겠다고 약속하셨거든요. **우리는 무엇을 믿어야 할까요? 우리는 하나님이 우리를 돌보신다는 것을 믿어요.**

보물 상자

나만의 기록장

준비물 학생용 교재 6쪽, 연필

두려운 마음, 약한 마음으로 무슨 일을 하는 것을 주저해 본 적이 있었는지 떠올려 보고 글로 표현하게 한다.

— 우리는 가끔 연약하거나 두려운 마음이 드는 순간이 있어요. 그때는 우리를 돌보아 주시는 하나님을 기억하고 신뢰하세요. 하나님은 우리에게 힘과 용기를 주신답니다.

메시지 카드 만들기

준비물 학생용 교재 49~54쪽 메시지 카드, 카드 고리, 펀치, 가위

① 카드를 오리고 펀치로 구멍을 뚫어 고리로 연결하게 한다.

② 가방이나 지갑에 고리를 끼워 항상 휴대하면서 오늘 배운 성경 이야기를 수시로 기억하게 하고, 가족과도 함께 나눌 수 있도록 격려한다.

기도

완전하고 신실하신 하나님을 신뢰합니다. 우리가 연약하고 두려울 때마다 전능하신 하나님이 함께해 주세요. 거룩하신 하나님, 우리의 죄가 용서받을 수 있도록 예수님을 보내 주셔서 감사합니다. 우리를 사랑하셔서 십자가에서 죽으시고 부활하심으로 구원해 주신 예수님, 감사합니다. 오직 하나님만 의지하도록 우리에게 믿음을 주세요. 예수님의 이름으로 기도합니다. 아멘.

2

놋뱀을 바라보았어요

민 20:1~20, 21:4~9

단원 암송

내가 네게 명령한 것이 아니냐 강하고
담대하라 두려워하지 말며 놀라지 말라
네가 어디로 가든지 네 하나님 여호와가
너와 함께하느니라 하시니라(수 1:9).

성경의 초점

우리는 무엇을 믿어야 할까요?
우리는 하나님이 우리를 돌보신다는 것을
믿어요.

본문 속으로

이스라엘 백성은 광야에서 방황하면서 모세와 하나님을 원망하기 시작했습니다. 하나님은 이스라엘 백성을 위해 놀라운 일들을 행하셨습니다. 하나님은 파라오의 손에서 그들을 구하셨고, 홍해를 갈라 안전하게 건너게 하셨으며, 만나를 양식으로 내려 주셨습니다. 그럼에도 불구하고 이스라엘 백성은 불평했습니다.

하나님은 이스라엘 백성의 불만족이 더 큰 문제의 시작임을 아시고 그들을 벌하셨습니다. 그것은 바로 매우 중요한 문제인 죄의 문제였습니다. 그들은 하나님의 선하심을 더 이상 믿지 않기 시작했습니다. 그리고 에덴동산에서 하와가 사람들을 죄에 빠뜨리는 거짓말에 속은 것처럼 마음속으로 거짓말을 믿기 시작했습니다. 그것은 바로 '하나님이 내게 무엇인가를 숨기고 계신다'라는 거짓말입니다.

분노하신 하나님은 불뱀(독사)을 보내셔서 사람들을 물게 하셨고, 많은 사람이 이로 인해 죽었습니다. 이스라엘 백성은 회개했습니다. 그들은 모세더러 하나님께 기도해 뱀들을 떠나게 해 달라고 부탁했습니다. 모세가 백성을 위해 기도하자 하나님은 해결책을 제시해 주셨습니다. "불뱀을 만들어 장대 위에 매달아라 물린 자마다 그것을 보면 살리라 모세가 놋뱀을 만들어 장대 위에 다니 뱀에게 물린 자가 놋뱀을 쳐다본즉 모두 살더라"(민 21:8~9).

요한복음 3장 14절에서 예수님은 "모세가 광야에서 뱀을 든 것같이 인자도 들려야 하리니"라고 말씀하셨습니다. 예수님이 하신 말씀은 무슨 뜻일까요? 고린도후서 5장 21절은 이렇게 말합니다. "하나님이 죄를 알지도 못하신 이를 우리를 대신하여 죄로 삼으신 것은 우리로 하여금 그 안에서 하나님의 의가 되게 하려 하심이라." 예수님은 우리를 초대하십니다. 예수님을 바라봄으로 우리는 죄 사함을 얻고 구원받을 수 있습니다. "땅의 모든 끝이여 내게로 돌이켜 구원을 받으라 나는 하나님이라 다른 이가 없느니라"(사 45:22).

●● 티칭 포인트

아이들에게 우리 모두가 맞닥뜨리게 되는 죄 문제에 대해 강조해서 가르쳐 주십시오. 우리는 그냥 병든 것이 아니고 죄로 인해 모두 죽음이라는 대가를 치러야 한다고 알려 주십시오. 그러나 해법이 있다는 기쁜 소식도 함께 전해 주십시오. 죄 없으신 예수님이 우리를 위해 죄를 가져가심으로 십자가에 우리 대신 달리셨습니다. 우리는 십자가에 달리신 예수님을 바라봄으로써 죄 사함을 얻을 수 있습니다.

주 제

하나님은 이스라엘 백성이 놋뱀을 바라보면 살 것이라고 말씀하셨어요.

가스펠 링크

독사에 물린 사람들이 장대에 달린 놋뱀을 바라보면 살 수 있었듯이 우리도 십자가에 달리신 예수님을 바라보고 믿으면 하나님과 영원히 함께 살 수 있어요.

놋뱀을 바라보았어요 민 20:1~20, 21:4~9

이스라엘 백성은 가나안 땅에 사는 사람들은 너무 강하고 자신들은 그들에 비해 메뚜기 같다는 10명의 정탐꾼들의 말을 듣고 두려워서 약속의 땅에 들어가기를 거부했어요. 하나님은 그들을 벌하셔서 광야에서 떠돌아다니게 하셨지요. 하지만 이스라엘 백성은 계속해서 투덜거리며 불평했어요. 그들이 마실 물이 없다고 불평하자 하나님은 모세와 아론에게 이스라엘 백성 앞에서 반석에게 "물을 내라"라고 명령하라고 말씀하셨어요.

모세는 사람들을 불러 모았어요. 그런데 이스라엘 백성 때문에 화가 난 모세는 그만 반석에게 명령하는 대신에 지팡이로 반석을 두 번 쳤어요. 물이 나오기는 했지만 하나님은 모세와 아론이 하나님께 불순종한 것에 대해 분노하셨어요. 하나님은 모세와 아론이 이스라엘 백성을 약속의 땅으로 인도하지 못할 것이라고 말씀하셨어요.

이스라엘 백성은 계속해서 광야를 지났어요. 모세는 에돔이라는 나라의 왕에게 사람을 보내 이스라엘 백성이 그 땅을 지나가도 되는지를 물었어요. 그러나 에돔 왕은 "너희는 여기로 통과할 수 없다. 너희가 우리 땅을 지나가면 우리가 칼을 들고 나가 싸울 것이다!"라고 대답했어요. 어쩔 수 없이 이스라엘 백성은 에돔을 둘러서 지나가야 했어요. 여행은 길었고, 사람들은 투덜거리며 불평했어요. "왜 우리를 이집트에서 인도해 내어 이 광야에서 죽게 하는 것입니까? 이곳에는 먹을 것도 없고 물도 없습니다. 지겨운 만나도 더 이상 못 먹겠습니다!"

분노하신 하나님은 독사를 보내 이스라엘 백성을 물게 하셨고, 많은 사람이 죽었어요. 이스라엘 백성은 자신들이 하나님 앞에 불평해 죄를 지었다는 사실을 깨닫고 모세에게 말했어요. "여호와께 기도해 이 뱀들을 우리에게서 떠나게 해 주십시오."

모세가 백성을 위해 기도하자 하나님이 살 수 있는 방법을 알려 주셨어요. "놋뱀을 만들어 장대 위에 매달아라. 물린 자마다 그것을 보면 살 것이다." 모세는 놋뱀을 만들어 장대 위에 매달았어요. 독사에게 물린 자들이 놋뱀을 바라보자 모두 살게 되었답니다.

●● 가스펠 링크

이스라엘 백성은 자기들의 죄 때문에 큰 어려움을 당하게 되었어요. 하나님은 이스라엘 백성을 벌하려고 독사를 보내셨지만 독사에 물린 사람들은 장대에 달린 놋뱀을 바라보면 살 수 있었어요. 우리의 죄 때문에 우리도 하나님으로부터 분리되는 큰 문제를 갖게 되었어요. 우리는 죽어야 마땅하지만 십자가에 달리신 예수님을 바라보고 믿는 사람은 하나님과 영원히 함께 살 수 있어요.

가스펠 준비

(10~20분)

환영

도착하는 아이들을 반갑게 맞이하고 헌금, 출석, QT 등을 확인하며 격려한다. 새 친구가 있다면 소개한다. 편안한 분위기에서 안부를 물으며 오늘의 말씀과 관련된 화제로 이야기를 나눈다. 지난주에 행복했거나 불만스러웠던 일이 있었는지 물어본다. 투덜거렸거나 불평했던 일이 있었다면 나누어 보게 한다. 자발적으로 대화에 참여하도록 이끈다.

예) "지난주에 행복했거나 불만스러웠던 일이 있었나요?", "무슨 일 때문이었는지 이야기해 줄 수 있나요?" 등.

마음 열기

투덜이와 만세쟁이 *

① 아이들을 둥글게 앉힌다.

② 인도자의 이야기를 듣고 불평할 만한 내용이면 팔짱을 낀 채 "투덜, 투덜"이라고 말하고, 행복한 내용이면 일어나서 "만세!"를 외치라고 말해 준다.

③ 미리 준비한 다양한 상황들을 이야기해 준다.

예) 1. 눈이 많이 와서 오늘은 학교에 오지 않아도 된대요.

2. 아빠가 쓰레기를 밖에다 버리고 오라고 하셨어요.

3. 앞으로 내 방을 동생과 함께 쓰게 되었어요.

— 오늘의 성경 이야기에서 이스라엘 백성은 하나님이 그들을 위해 행하셨던 놀라운 일들을 잊어버리고는 불평하기 시작했어요. 하나님은 그들의 불평을 들으면서 마음이 어떠셨을까요? 기뻐하셨을까요, 슬퍼하셨을까요? 아니면 화가 나셨을까요? 오늘의 성경 이야기를 듣고 무슨 일이 있었는지 함께 알아보아요.

뱀의 짝을 찾아라 *

DVD 준비물 뱀 짝 맞추기 카드(지도자용 팩), 두꺼운 도화지

① 뱀 짝 맞추기 카드 두 세트를 두꺼운 종이에 프린트한 뒤 잘라서 카드로 만들어 놓는다.

② 카드를 섞은 뒤 뒤집어서 격자무늬 형태로 배열한다.

③ 아이들과 함께 뱀 짝 맞추기 게임을 한다. 한 번에 카드 두 장을 뒤집어 짝이 맞으면 카드를 가지고 다시 한 번 뒤집을 수 있다. 짝이 아니면 카드를 원래의 자리에 뒤집어 놓으면 된다. 가장 많은 카드를 가진 아이가 이긴다.

— 카드에서 다양한 종류의 뱀을 보았어요. 뱀 중에는 치명적인 독을 가진 맹독류도 있지요. 우리는 오늘의 성경 이야기에서 독사에게 물린 이스라엘 백성에 관해 듣게 될 거예요.

가스펠 **설교**

(15~30분)

들어가기

준비물 성경, 이름표, 사파리 여행 복장(단색 티셔츠, 카키색 바지, 사파리 모자), 옆면에 '주의:살아 있는 동물'이라고 쓴 상자

사파리 여행 복장을 하고 이름표를 달고 성경을 들고 들어온다. 옆면에 '주의 : 살아 있는 동물'이라고 쓴 상자 가까이에 가서 뚜껑 한쪽을 조심스럽게 열었다가 재빨리 닫는다.

이런! 아이들에게 말을 건다. 안녕하세요, 여러분! 오늘은 이 상자 안에 있는 놀라운 동물과 함께하게 되었어요. 흠, 이 동물과 비슷한 것이 무엇이 있을까요? 여러분 중에 체험 동물원에 가 본 친구가 있나요? 여러분이 이 동물을 만져 보고 싶어 할지 모르겠네요. 사실 상자보다는 유리로 된 수족관에 넣었어야 할 것 같아요!

이 동물은 오늘의 성경 이야기를 생각나게 해요. 이 동물은 많은 사람을 무섭게 만들지요! 과연 이 동물은 어떤 동물일까요? 아이들의 대답을 기다린다. 힌트를 줄게요. 지구 상에는 이 동물이 3,000여 종이나 있어요. 가장 작은 것은 크기가 10cm 정도 되고, 가장 긴 것은 9m가 넘는 것도 있어요! 놀랍지요! 이 동물이 무엇인지 아는 친구가 있나요? (뱀)

연대표

약속의 땅을 정탐했어요

놋뱀을 바라보았어요

하나님이 여리고 성을 주셨어요

죄 때문에 아이 성 전투에서 졌어요

모세가 약속의 땅으로 정탐꾼들을 보냈던 사건을 혹시 기억하나요? 약속의 땅에는 어떤 사람들이 살고 있었나요? (크고 강한 사람들) 이스라엘 백성은 약속의 땅에 들어가고 싶어 했나요? 아니에요. 그들은 무서워했어요. **이스라엘 백성은 약속의 땅을 주시겠다는 하나님의 말씀을 신뢰하지 않았어요.** 그래서 하나님은 그들을 벌하시고 광야에서 40년 동안 떠돌아다니게 하셨어요.

오늘의 성경 이야기는 이스라엘 백성이 광야에서 살았던 시기에 일어난 일이에요. 그들은 하나님이 행하셨던 놀라운 일들을 경험했음에도 불구하고 계속해서 불평했어요. 하나님을 믿지 못했던 거예요!

성경의 초점

우리는 무엇을 믿어야 할까요? 우리는 하나님이 우리를 돌보신다는 것을 믿어요. 이번에는 제가 질문하면 여러분이 대답해 보세요. **우리는 무엇을 믿어야 할까요?** 아이들의 대답을 기다린다.

성경 이야기

DVD 민수기 20~21장을 펴고, 설교 영상(지도자용 팩)을 보여 주거나 이야기 성경을 들려준다.

이스라엘 백성은 하나님을 믿지 못한 벌로 광야에서 떠돌아다녀야 했어요. 그들은 마실 물이 없고 하나님이 주신 음식인 만나가 지겹다면서 하나님께 불평했어요. 그들은 이집트에서 광야로 자신들을 인도해 낸 모세를 비난했지요.

이스라엘 백성은 하나님이 주신 것에 만족하지 못했어요. 그들은 자신들을 돌보시는 하나님의 약속을 믿지 못하고 불평하는 죄를 지었어요. **우리는 무엇을 믿어야 할까요? 우리는 하나님이 우리를 돌보신다는 것을 믿어요.** 하나님은 독사를 보내셔서 이스라엘 백성을 벌하셨어요. 그렇다면 하나님은 더 이상 이스라엘 백성을 사랑하지 않으신 것인가요? 아니에요. 하나님은 이스라엘 백성의 죄로 인해 그들을 벌하셨지만 그들이 살 수 있는 길도 함께 알려 주셨어요. **하나님은 이스라엘 백성이 놋뱀을 바라보면 살 것이라고 말씀하셨어요.**

이스라엘 백성은 자기들의 죄 때문에 큰 어려움을 당하게 되었어요. 하나님은 이스라엘 백성을 벌하려고 독사를 보

내셨지만 뱀에 물린 사람들은 장대에 달린 놋뱀을 바라보면 살 수 있었어요. 우리의 죄 때문에 우리도 하나님으로부터 분리되는 큰 문제를 갖게 되었어요. 우리는 죽어야 마땅하지만 십자가에 달리신 예수님을 바라보고 믿는 사람은 하나님과 영원히 함께 살 수 있어요.

복 / 습 / 질 / 문

이제부터 성경 이야기에 대해 몇 가지 질문을 할 테니 답을 아는 사람은 손을 들어 보세요.

1 민수기 20~21장에서 이스라엘 백성이 불평한 내용은 무엇인가요?
먹을 것도, 마실 물도 없다고 불평했다 (민 20:5)

2 하나님은 모세에게 어떻게 해서 물을 내라고 말씀하셨나요?
반석에게 "물을 내라"라고 명령하라고 하셨다 (민 20:8)

3 모세는 어떻게 하나님께 불순종했나요?
반석에게 명령해 물을 내는 대신 지팡이로 반석을 두 번 쳤다 (민 20:11)

4 이스라엘 백성이 불평하자 하나님은 그들에게 무엇을 보내셨나요?
독사(불뱀) (민 21:6)

5 독사에 물린 이스라엘 백성은 어떻게 살 수 있었나요?
하나님은 이스라엘 백성이 놋뱀을 바라보면 살 것이라고 말씀하셨어요 (민 21:9)

6 **우리는 무엇을 믿어야 할까요?**
우리는 하나님이 우리를 돌보신다는 것을 믿어요.

복음 초청

성경과 29쪽 복음 초청 가이드를 이용해서 아이들에게 그리스도인이 되는 법을 설명해 준다. 따로 상담해 줄 사람을 정해 주고 궁금한 점이 있으면 물어보도록 격려한다.

이 시간 예수님을 마음에 모시고 싶은 친구는 함께 기도해요.

기도

사랑하는 하나님, 우리가 하나님을 신뢰하지 않는 순간에도 하나님은 언제나 우리에게 하나님의 신실하심을 끊임없이 보여 주셔서 감사합니다. 우리는 우리의 죄로 인해 벌을 받아 마땅하지만 하나님은 우리에게 구원받을 수 있는 길을 열어 주셨습니다! 구원받을 수 있는 길을 주시고 예수님을 이 땅에 보내 주신 주님, 감사합니다. 오직 예수님만을 바라보면 구원을 얻을 수 있습니다. 하나님, 사랑합니다. 예수님의 이름으로 기도합니다. 아멘.

적용

TIP 설교 도입이나 적용으로 활용하거나 영상을 본 뒤 소그룹에서 풍성한 대화를 이어 갈 수 있습니다.

독사에게 물리면 어떻게 해야 할까요? 누구에게 도움을 청해야 할까요? 다음 영상을 보면서 함께 생각해 보아요.

DVD 적용 예화 영상(지도자용 팩)을 보여 준다.

독사에게 물리면 병원에 가서 도움을 받아야 해요. 모세가 독사에게 물린 이스라엘 백성에게 장대에 달린 놋뱀을 바라보라고 했을 때 그들은 어떻게 생각했을까요? 도움이 될 것이라고 생각했을까요? 혹시 스스로 상처를 치료하려고 노력해 보지는 않았을까요? 아마도 모세는 "여러분이 치료하려고 노력할 필요 없습니다! 우리가 치료하는 것은 불가능합니다! 장대에 달린 놋뱀을 바라보십시오!"라고 외쳤을 거예요. 이스라엘 백성이 해야 할 일은 단 한 가지, 놋뱀을 바라보는 것뿐이었어요.

우리는 스스로를 죄에서 구원하지 못해요. 그러면 어떻게 해야 할까요? 우리는 우리의 죄를 위해 십자가에 달리신 예수님을 바라보아야 해요. 어떤 사람들은 착한 일을 많이 하거나 나쁜 일을 하지 않는 것으로써 스스로를 구원하려고 해요. 그런데 그것이 가능할까요? 아니에요! 우리는 살아 계신 예수님을 바라보아야만 살 수 있다는 사실을 친구들에게 말해 주세요.

가스펠 소그룹
(10~20분)

나침반

말씀 의자 연결하기

준비물 1단원 암송(106쪽), 색인 카드, 사인펜, 끈, 셀로판테이프

① 1단원 암송 구절 단어를 색인 카드에 각각 나누어 적고, 의자 하나에 카드 한 장씩 무작위로 붙여 놓는다. 이때 의자 사이가 너무 멀리 떨어지지 않도록 주의한다.

② 아이들에게 1단원 암송을 보여 주고 크게 읽게 한 뒤 가린다.

③ 아이들에게 끈을 나누어 준 뒤 암송 구절을 따라 순서대로 의자를 감게 한다. 첫 번째 암송 구절 단어가 적힌 카드가 붙어 있는 의자부터 마지막 의자까지 차례대로 끈을 감아 1단원 암송 구절을 완성하게 한다. 시간 여유가 있다면 아이들이 암송 구절을 뒤에서부터 거꾸로 말하면서 감은 끈을 풀게 해도 좋다.

— 여호수아 1장 9절 말씀은 누가 누구에게 하신 말씀일까요? (하나님이 여호수아에게 하신 말씀) 하나님은 여호수아만이 아니라 하나님의 백성인 우리에게도 강하고 담대하라고 말씀하세요. 하나님은 우리와 함께 계시고, 우리는 하나님을 신뢰해야 해요. **우리는 무엇을 믿어야 할까요? 우리는 하나님이 우리를 돌보신다는 것을 믿어요.**

보물 지도

살고 싶다면 이렇게!

준비물 검정색 도화지 16장, 분필, 성경, 셀로판테이프

① 아이들을 두 팀으로 나눈 뒤 팀별로 검정색 도화지 8장과 분필을 나누어 준다.

② 팀별로 정답을 기록할 대표를 한 명씩 뽑게 한다.

③ 아이들에게 오늘의 성경 이야기에 관한 질문을 한다. 팀원들이 답을 정하면 대표가 검정색 도화지에 답을 적고 상대 팀과 비교해 보게 한다. 만약 답이 틀리면 성경을 펴고 민수기 20~21장을 찾아 알맞은 답을 쓰게 한다.

1 민수기 20~21장에서 이스라엘 백성이 불평한 내용은 무엇인가요?
먹을 것도, 마실 물도 없다고 불평했다 (민 20:5)

2 하나님은 모세에게 어떻게 해서 물을 내라고 말씀하셨나요?
반석에게 "물을 내라"라고 명령하라고 하셨다 (민 20:8)

3 모세가 지팡이로 친 것은 무엇인가요?
반석 (민 20:11)

4 하나님은 모세를 어떻게 벌하셨나요?
하나님은 모세가 약속의 땅에 들어가는 것을 허락하지 않으셨다 (민 20:12)

5 이스라엘 백성이 자신의 땅을 지나가지 못하도록 한 왕은 어느 나라 왕인가요?
에돔 왕 (민 20:14~20)

6 하나님이 이스라엘 백성에게 독사를 보내신 이유는 무엇인가요?
하나님께 계속 불평했기 때문이다 (민 21:4~6)

7 모세가 장대 위에 단 것은 무엇인가요?
놋뱀 (민 21:9)

8 독사에 물린 이스라엘 백성은 어떻게 살 수 있었나요?
하나님은 이스라엘 백성이 놋뱀을 바라보면 살 것이라고 말씀하셨어요

④ 아이들이 적은 정답을 예배실 벽에 십자가 모양으로 붙인다. 아이들에게 뱀에 물린 이스라엘 백성은 놋뱀을 바라보면 살 수 있었다고 말해 준다.

— 놋뱀은 예수님을 가리켜요. 사람들을 물어서 죽음에 이르게 한 독사처럼 우리의 죄는 우리를 죽음에 이르게 해요. 우리는 스스로 우리의 죄를 고칠 수 없어요. 예수님은 장대에 달린 뱀처럼 십자가에 매달리셨어요. 우리가 예수님을 바라보고 우리의 주님이자 구세주로 믿으면 예수님은 우리를 죄에서 구원하시고 영원한 생명을 주신답니다.

탐험하기

숨은 단어 찾기

준비물 학생용 교재 8쪽, 연필

① 글자 퍼즐을 보고 가로, 세로, 대각선에서 숨은 단어들을 찾아 ○표 하게 한다.

② 다 찾으면 단어들을 이용해 2과의 성경 이야기를 한 문장으로 표현해 보게 한다. 단어를 모두 사용하지 않아도 된다고 말해 준다.

— 각 단어들은 오늘의 성경 이야기와 연결되어 있어요. 어떤 이야기와 연결되어 있는지 직접 설명해 보니 좀 더 이해하기 쉬웠지요? 오늘의 성경 이야기를 이 단어들을 사용해서 한 문장으로 표현하면 다음과 같아요.

"**이스라엘** 백성은 하나님을 신뢰하지 못하고 **약속의 땅**에

들어가기를 거부했고, 광야에서 **불평**해 하나님이 보내신 **독사**에게 물렸지만, 신실하신 하나님은 **놋뱀**을 만들어 장대에 달게 하셔서 그것을 바라보는 사람은 누구든지 구원해 주셨어요."

아! 한 문장으로 성경 이야기를 다 설명하기란 정말 쉽지 않네요. 혹시 여러분 중에 '십자가'라는 단어를 사용해 성경 이야기를 설명한 친구가 있나요? 아이들의 대답을 기다린다. 조금 어렵지요? 놋뱀을 바라보고 살게 된 이스라엘 백성처럼 우리도 십자가에 달리신 예수님을 바라보고 믿으면 하나님과 영원히 함께 살 수 있어요.

야	이	들	야	게	어	찾	나	도	라	한
모	죄	는	주	에	닥	다	에	좋	불	지
악	다	과	일	돔	리	솔	앗	로	평	형
이	르	개	은	산	돼	골	요	란	내	승
만	관	놋	마	는	수	약	속	의	땅	무
무	와	리	뱀	치	크	다	하	레	나	이
밤	보	너	도	자	리	수	포	로	바	스
부	독	주	님	십	자	가	수	주	를	라
사	그	도	담	스	면	세	너	무	와	엘
는	구	식	을	으	송	리	부	라	승	먹

글자를 삼킨 뱀

준비물 학생용 교재 9쪽, 연필

① 어떻게 하면 구원받을 수 있는지 질문하고, 뱀에게 모든 답이 있다고 말해 준다.

② 뱀이 삼킨 글자를 모아 답을 찾아보라고 한다.

— 뱀에 물려 죽다니, 엄청난 벌이지요? 이스라엘 백성이 왜 독사에 물리는 벌을 받았는지 기억하는 친구가 있나요? 아이들의 대답을 기다린다. 맞아요, 하나님을 믿지 않고 불평했기 때문이에요. 하나님께 죄를 지은 대가는 우리가 감당하지 못할 정도로 커요. 하지만 **하나님은 이스라엘 백성이 놋뱀을 바라보면 살 것이라고 말씀하셨어요.** 또한 하나님은 우리도 십자가에 달리신 예수님을 바라보고 믿기만 하면 하나님과 영원히 함께 살 수 있도록 구원의 길을 열어 주셨어요.

우리는 무엇을 믿어야 할까요? 우리는 하나님이 우리를 돌보신다는 것을 믿어요.

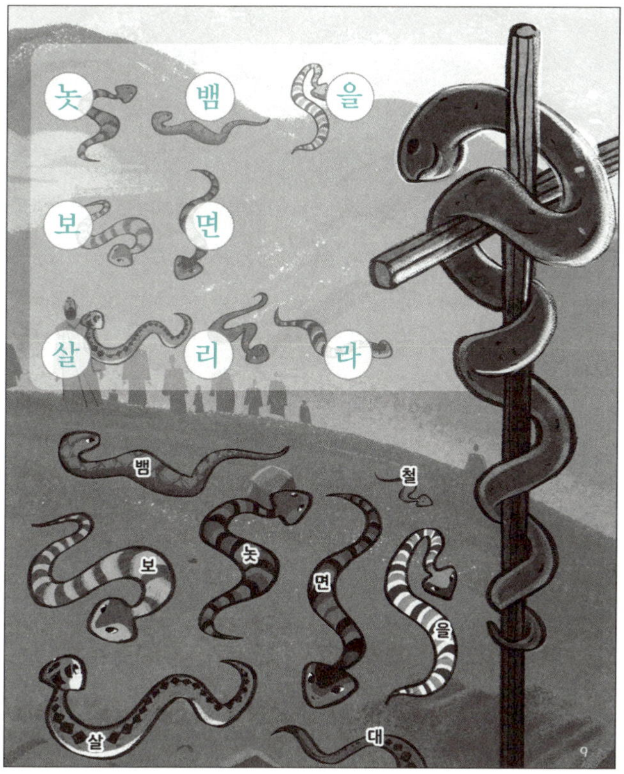

특명! 뱀을 피하라 *

준비물 얇고 긴 줄넘기

① 두 명의 아이를 뽑아 예배실 바닥에 둔 줄넘기 양쪽 끝에 무릎을 꿇고 앉게 한다. 줄넘기를 양옆으로 흔들되, 풀숲을 다니는 뱀처럼 꾸불거리게 하라고 말해 준다.

② 나머지 아이들은 출발선에 섰다가 한 명씩 차례대로 '줄넘기 뱀'을 넘어 예배실 반대쪽으로 가면 된다는 게임의 규칙을 설명한다. 이때 '줄넘기 뱀'을 건드리면 뱀에 물린 것이라고 이야기해 준다.

③ 중간에 게임을 잠시 멈추고, 아이들이 1단원의 '성경의 초점' 질문에 답하게 한다.

— 자, 잠시 1단원의 '성경의 초점' 질문에 답해 볼까요? **우리는 무엇을 믿어야 할까요? (우리는 하나님이 우리를 돌보신다는 것을 믿어요.)**

④ 줄넘기를 양옆으로 흔드는 아이들을 바꾸어 게임을 여러 번 반복한다. 줄넘기를 더해서 '줄넘기 뱀'을 여러 마리 만들어 진행해 난이도를 높여도 좋다.

가스펠 **소그룹**

(10~20분)

TIP '줄넘기 뱀'에 물린 아이가 있을 경우 나머지 아이들이 2과의 주제를 말하면 치료해 줄 수 있다.

— 많은 뱀이 바닥을 기어 다니고 사람들이 물려 죽는 모습을 상상해 보세요. 정말 무시무시하지요! 그때 하나님이 이스라엘 백성에게 주신 살 수 있는 방법은 어렵지 않았어요. **하나님은 이스라엘 백성이 놋뱀을 바라보면 살 것이라고 말씀하셨어요.** 우리가 1단원의 '성경의 초점'을 외우거나 2과의 주제를 외워서 치료받은 이 게임의 규칙보다도 쉬운 것 같아요! 우리도 마찬가지예요. 우리는 죽어야 마땅하지만 놋뱀을 바라보고 살게 된 이스라엘 백성처럼 십자가에 달리신 예수님을 보고 믿으면 하나님과 영원히 함께 살 수 있어요.

스테인드글라스 십자가 *

준비물 **랩, 알루미늄 포일, 셀로판테이프, 다양한 색의 네임 펜, 포스터 보드, 가위**

① 아이들과 함께 다음 지시 사항을 따라 스테인드글라스 십자가를 만든다.

1. 랩을 21×25cm 정도의 크기로 잘라 셀로판테이프를 이용해 책상 위에 붙인다.
2. 랩 위에 네임 펜으로 여러 가지 패턴의 십자가를 그리고 색칠해 꾸민다.
3. 알루미늄 포일을 21×25cm 정도의 크기로 잘라 살짝 구겼다가 평평하게 편다. 십자가들을 그린 랩을 알루미늄 포일 위에 올려놓는다.

② 작품이 완성되었으면 셀로판테이프를 이용해 포스터 보드에 붙인다.

③ 아이들이 자신이 만든 작품을 집으로 가져가게 한다.

— **하나님은 이스라엘 백성이 놋뱀을 바라보면 살 것이라고 말씀하셨어요.** 여러분이 만든 스테인드글라스 십자가를 볼 때마다 오늘의 성경 이야기를 기억하세요. 이스라엘 백성이 놋뱀을 바라보고 살 수 있었던 것처럼 우리도 우리의 죄를 위해 십자가에 달리신 예수님을 바라보면 우리의 죄를 용서받고 영원한 생명을 얻을 수 있답니다.

보물 상자

나만의 기록장

준비물 **학생용 교재 10쪽, 연필**

① 실망했던 순간을 떠올려 보고 글로 표현해 보게 한다.

② 만약 또다시 같은 일이 일어난다면 그때는 어떻게 감사할 수 있을지 생각해 보고 나누는 시간을 갖는다.

— 이스라엘 백성은 광야에서 힘든 시간을 보냈어요. 하지만 하나님은 그들을 여러 가지로 도와주셨고, 그들의 필요를 채워 주셨어요. 우리에게도 힘든 시간이 다가오곤 해요. 하지만 우리에게는 하나님께 감사드릴 일들도 많이 있다는 것을 기억하세요.

메시지 카드

이번 주 메시지 카드로 부모님과 함께 오늘 배운 성경 이야기를 나누어 보라고 한다.

기도

하나님, 우리는 매 순간 감사하지 못하고 불평과 불만이 많았음을 고백합니다. 우리의 입술이 감사의 찬양으로 가득 찰 수 있도록 도와주세요. 우리를 구원하신 하나님께 진심으로 감사할 수 있도록 힘을 주세요. 예수님의 이름으로 기도합니다. 아멘.

'나를 위한 하나님의 멋진 계획'

'복음'이라는 말을 들어 본 적 있니?
복음이란 좋은 소식이라는 뜻이야.
하나님이 우리(너)를 위해 보내 주신
놀라운 선물이지.

하나님은 세상을 만드셨단다

하나님은 온 세상을 만드셨어.
하늘, 땅, 나무, 새…. 그런데 더 놀라운 것은 사람을 만드셨다는 거야. 바로 우리(너)를 하나님이 만드셨어.
그리고 우리(너)를 사랑하신다고 성경에서 말하고 있어(요 3:16). 그래서 하나님은 우리와 항상 함께 살기를 원하시지(창 1:1; 골 1:16~17; 계 4:11).

예화 네가 정성을 다해 만든 작품이 소중하듯이 하나님이 너를 만드셨기 때문에 네가 매우 소중한 거야.

사람들은 죄를 짓고 하나님을 떠났어

모두 죄를 지었다고 성경은 말하고 있어(롬 3:23).
죄는 하나님께 불순종해 하나님이 기뻐하시지 않는 말이나 행동을 하는 거야(욕심, 거짓말, 싸움 등).
하나님은 거룩하신 분이기 때문에 죄를 가진 우리는 하나님과 함께 살 수 없게 되었단다.
사람들은 죄 때문에 하나님과 멀어져 결국 죽을 수밖에 없는 벌을 받게 되었어(롬 6:23).

하나님은 구원 계획을 갖고 계신단다

하나님은 우리(너)를 너무 사랑하셔서 우리(너)와 함께 살기를 원하셔. 그래서 대신 벌을 받기로 계획하셨어.
죄가 없으신 하나님의 아들 예수님을 이 땅에 보내셔서 우리가 받아야 할 죄의 벌을 받지 않도록 구원해 주신 거야.
죄인인 우리는 아무리 노력해도 해결할 수 없거든(요 3:16; 엡 2:8~9).

예화 손이 더러우면 어떻게 해야 깨끗해질까? 물로 씻어야겠지? 그런데 거짓말을 했을 때 물로 씻는다고 깨끗해질까?

예수님이 우리에게 생명을 주셨어

예수님은 완전하신 하나님의 아들이시지만 이 세상 사람의 몸으로 태어나셨어.
아무런 잘못이 없으시지만 우리의 죄를 용서해 주시기 위해 십자가에서 죽으셨어. 예수님은 우리의 죄를 위해 죽으시고(히 9:22) 3일 만에 다시 살아나셨어.
우리를 사랑하시는 하나님이 우리가 하나님과 함께 영원히 살 수 있는 길을 만드신 것이지. 이것이 우리를 위해 계획해 놓으신 최고의 선물이야(롬 5:8; 고후 5:21; 벧전 3:18)!

예수님! 우리 마음에 오세요!

성경은 영접하는 자 곧 그 이름을 믿는 자는 하나님의 자녀가 된다고 말하고 있어(요 1:12, 로마서 10:9~10, 13).
'영접'은 손님이 문밖에서 두드리면 문을 열고 안으로 모시듯이 예수님을 "제 마음에 들어오세요" 하고 맞이하는 거야.
'믿는다'라는 것은 예수님이 나의 죄를 위해 십자가에 죽으시고 다시 살아나셨음을 진심으로 믿는다는 뜻이야.

너는 이 예수님을 마음에 모셔 들이기를 원하니? 네.
예수님은 어떤 분이시지? 우리의 죄를 위해 십자가에 죽으시고 다시 살아나신 분이셔. 그것을 진심으로 믿을 수 있겠니? 네.
그럼 선생님을 따라서 기도할 수 있겠니? 네.

영접 기도

사랑하는 예수님, 저는 죄를 지었어요.
저의 죄 때문에 예수님이 십자가에 죽으시고 다시 살아나셨음을 믿어요. 지금 제 마음에 들어오셔서 저의 주님이 되어 주세요.
예수님의 이름으로 기도합니다. 아멘.

구원의 확신

너는 누구의 자녀가 되었지? 하나님이요.
"영접하는 ○○, 곧 그 이름을 믿는 ○○에게는 하나님의 자녀가 되는 권세를 주셨으니" (요 1:12)
이제 ○○는 하나님의 자녀가 되었다고 하나님이 말씀에서 약속하셨어. 하나님의 자녀가 되었으니 다시는 싸우거나 욕심 부리는 죄를 짓지 않을 수 있을까? 아니요.
그러면 예수님이 너의 마음에서 떠나실까?
"내가 결코 너를 떠나지도 않고 버리지도 않겠다" (히브리서 13장 5절 말씀을 읽게 한다). 그래, 너의 마음속에 오신 예수님은 너를 떠나지도 버리지도 않으셔. 항상 너와 함께 계시면서 네가 옳은 일을 할 수 있도록 힘과 용기를 주신단다.

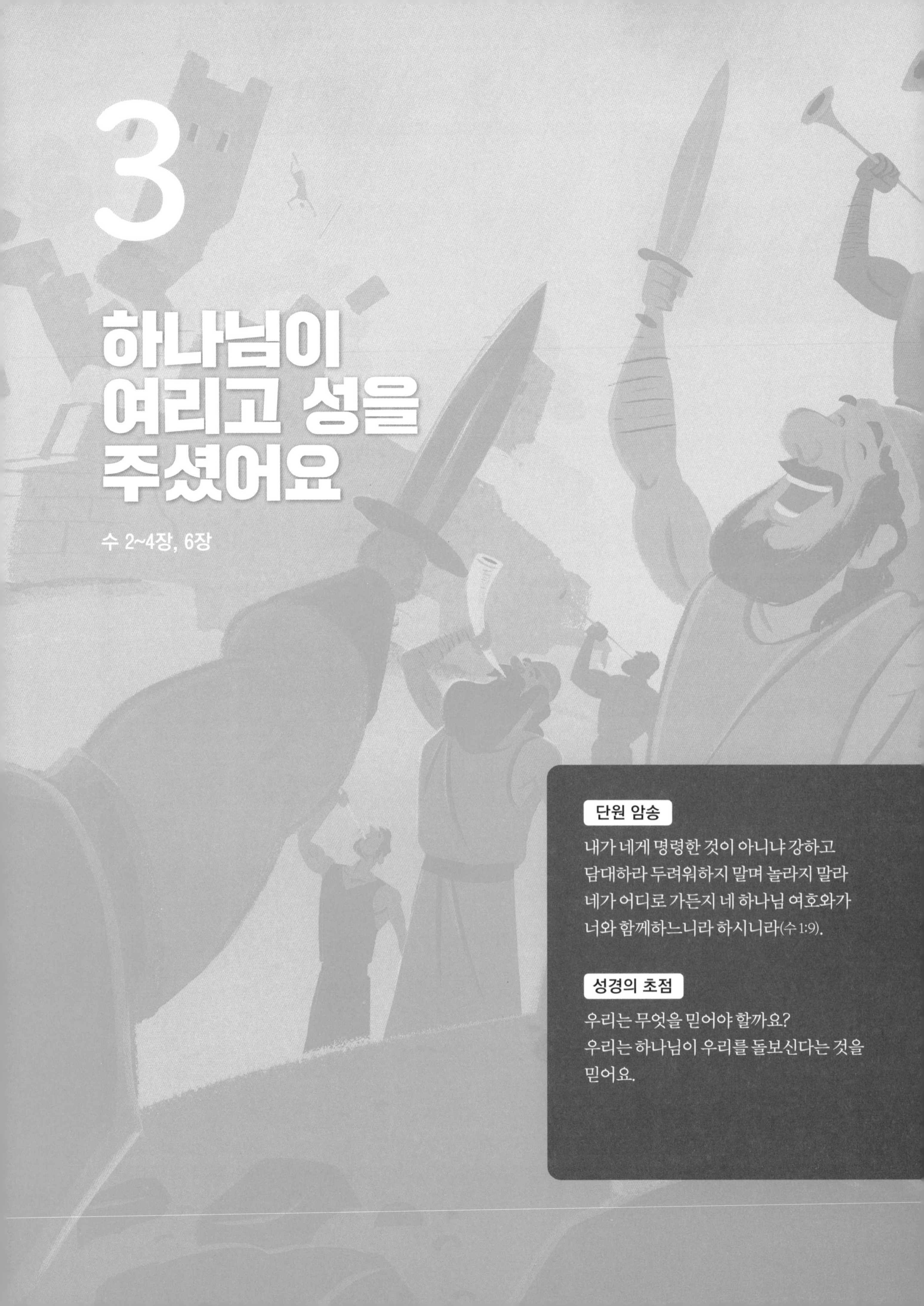

3

하나님이 여리고 성을 주셨어요

수 2~4장, 6장

단원 암송

내가 네게 명령한 것이 아니냐 강하고
담대하라 두려워하지 말며 놀라지 말라
네가 어디로 가든지 네 하나님 여호와가
너와 함께하느니라 하시니라(수 1:9).

성경의 초점

우리는 무엇을 믿어야 할까요?
우리는 하나님이 우리를 돌보신다는 것을
믿어요.

본문 속으로

약속의 땅으로 향하는 이스라엘 백성 앞에 놓여 있던 단 하나의 장애물은 요단 강이었습니다. 여호수아와 이스라엘 백성이 요단 강가에 도착했을 때 요단 강은 봄비와 눈이 녹아 흐른 물로 범람해 있었습니다. 다른 시기였다면 요단 강을 건너는 것이 어렵지 않았겠지만 물이 불어난 강을 건너는 것은 홍해를 건너는 것만큼이나 어려운 일이었습니다. 그러나 하나님은 이스라엘 백성이 요단 강을 마른 땅으로 건너게 하셨고, 그들을 약속의 땅으로 인도하셨습니다.

이제 이스라엘 백성이 해야 할 일은 가나안 족속을 정복하는 것이었습니다. 이스라엘 백성은 여리고로 향했습니다. 여리고의 사람들은 하나님과 하나님이 이스라엘 백성을 위해 행하신 일을 전해 들었습니다. 그들은 하나님의 능력을 알았기에 하나님과 맞서려 하지 않았습니다.

여호수아는 여리고로 두 명의 정탐꾼들을 보냈습니다. 여리고에 살던 라합이라는 기생은 그들을 여리고 사람들로부터 안전하게 숨겨 주었습니다. 라합은 하나님 편에 섰습니다. 그러고는 이스라엘 백성이 그 도시를 점령할 때 자신과 가족을 살려 달라고 부탁했습니다.

이스라엘 백성은 믿음으로 여리고 전쟁에 임했습니다. 그들은 하나님의 지시에 순종해 성 주위를 매일 한 번씩 엿새 동안 돌았습니다. 이때 아무 말도 해서는 안 되었습니다. 6일 동안은 아무 일도 일어나지 않았습니다. 7일째가 되자 이스라엘 백성은 나팔을 불며 외쳤습니다.

여호수아는 이스라엘 백성에게 자세한 지시를 내렸고, 라합과 가족을 제외한 도시의 모든 것을 파괴하라고 했습니다. 이스라엘 백성은 어떤 물건에도 손댈 수 없었습니다. 오직 하나님만이 그들의 필요를 채워 주실 것이었습니다. 그들은 여리고 성을 강탈할 필요가 없었습니다.

주 제

하나님은 이스라엘 백성을 위해 싸우셨고, 그들을 약속의 땅으로 인도하셨어요.

가스펠 링크

예수님은 모든 대적과 싸워 이기셨고, 믿는 자들을 영원한 약속의 땅으로 인도하세요.

티칭 포인트

아이들에게 하나님이 이스라엘 백성을 위해 싸우셨고, 그들을 약속의 땅으로 인도하셨다는 사실을 알려 주십시오. 하나님이 이스라엘 백성을 위해 여리고 전쟁에서 이기신 것처럼 예수님은 모든 대적과 싸워 이기셨고, 믿는 자들을 영원한 약속의 땅으로 인도해 주신다고 말해 주십시오.

하나님이 여리고 성을 주셨어요 수 2~4장, 6장

모세가 죽은 후, 여호수아가 이스라엘 백성의 인도자가 되었어요. 하나님은 여호수아에게 아브라함의 후손에게 주겠다고 약속하신 땅에 들어갈 때가 되었다고 말씀하셨어요. 그런데 그 땅에는 이미 다른 사람들이 살고 있었어요. 이스라엘 백성은 그들과 싸워서 이겨야 했답니다.

여호수아는 여리고 성을 정탐하기 위해 두 명의 정탐꾼들을 보냈어요. 그들은 라합이라는 여인의 집에 머물렀어요. 정탐꾼들의 소식이 여리고 왕에게까지 들어갔어요. 라합은 정탐꾼들을 지붕에 안전하게 숨겼지요. 라합은 하나님이 이집트의 파라오에게 하신 일을 듣고 하나님을 믿고 있었거든요. 라합은 하나님의 백성을 돕고 싶어 했어요.

정탐꾼들은 이스라엘이 그 도시를 점령할 때 라합과 가족을 살려 주기로 약속했어요. 라합은 정탐꾼들과 약속한 대로 붉은 줄을 창문에 매서 이스라엘 백성이 라합의 집을 알 수 있게 했어요. 그 후 정탐꾼들은 여리고를 떠나 여호수아에게로 향했고, 자신들이 겪은 모든 일을 이야기해 주었어요.

이제 이스라엘 백성은 요단 강으로 향했어요. 요단 강은 약속의 땅으로 향하는 길 마지막에 위치해 있었어요. 그들은 넓고 깊은 요단 강 옆에 머물렀어요. 하나님이 지시하신 대로 이스라엘 백성은 요단 강을 건널 준비를 했어요. 여호수아가 말했어요. "하나님이 우리와 함께하십니다. 하나님은 모든 대적을 반드시 쫓아내실 것입니다." 제사장들은 언약궤를 메고 요단 강가에 섰어요. 제사장들의 발이 물가에 잠기자 위에서부터 흘러내리던 물이 멈추었어요. 이스라엘 백성은 요단 강을 마른 땅으로 건넜어요.

이스라엘 백성이 요단 강을 모두 건너자 여호수아는 각 지파에서 한 사람씩을 뽑아 요단 강에서 각각 돌 한 개씩 모두 12개를 가져오게 했고, 하나님이 이스라엘 백성을 위해 강을 멈추신 일을 기념하기 위한 기념비를 세웠어요. 마지막으로 언약궤를 멘 제사장들이 발바닥으로 육지를 밟는 동시에 요단 물이 다시 흐르기 시작했고, 전처럼 언덕에 넘쳤어요.

하나님은 여호수아에게 말씀하셨어요. "너희는 앞으로 6일 동안 성 주위를 매일 한 번씩 돌아라. 일곱째 날에는 일곱 번을 돌아라. 그날 제사장들이 나팔을 길게 불면 온 백성이 다 큰 소리로 외쳐라. 그러면 여리고 성벽이 무너질 것이니 이스라엘 백성은 올라가서 성을 정복하라."

여호수아는 하나님이 말씀하신 대로 했어요. 이스라엘 백성은 6일 동안 매일 성 주위를 한 번씩 돌았어요. 일곱째 날에는 일곱 번 돌았지요. 일곱 번째 돌 때 제사장들이 나팔을 길게 불자 여호수아가 백성에게 말했어요. "외치십시오! 하나님이 우리에게 이 성을 주셨습니다!" 그러자 이스라엘 백성은 소리를 질렀고 성벽이 와르르 무너져 내렸어요. 이스라엘 백성은 여리고 성으로 들어가 그 성을 정복했어요. 그들은 성안의 모든 것을 파괴했지만 라합과 가족은 살려 주었어요.

가스펠 링크

하나님은 이스라엘 백성을 위해 싸우셨고, 그들을 약속의 땅으로 인도하셨어요. 하나님이 이스라엘 백성을 위해 여리고 전쟁에서 이기신 것처럼 예수님은 모든 대적과 싸워 이기셨고, 믿는 자들을 영원한 약속의 땅으로 인도하세요.

가스펠 **준비**

(10~20분)

환영

도착하는 아이들을 반갑게 맞이하고 헌금, 출석, QT 등을 확인하며 격려한다. 새 친구가 있다면 소개한다. 편안한 분위기에서 안부를 물으며 오늘의 말씀과 관련된 화제로 이야기를 나눈다. 아이들에게 새로운 장소를 방문한 경험이 있는지 물어본다. 있다면 한 번도 가 보지 못한 친구들에게 그 장소를 설명해 달라고 한다. 자발적으로 대화에 참여하도록 이끈다.

예) "새로운 장소에는 무엇이 있었나요?", "어떤 소리가 났나요?", "무슨 냄새가 났나요?" 등.

── 오늘의 성경 이야기에서는 하나님이 이스라엘 백성을 어떻게 약속의 땅으로 인도하셨는지에 대해 배울 거예요.

마음 열기

ㄱ부터 ㅎ까지 *

준비물 성경, A4 용지, 사인펜

① A4 용지에 자음(ㄱㄴㄷㄹ…ㅎ)을 세로로 써 놓는다.

② 아이들을 두 팀으로 나누고 각 팀에 성경과 자음을 적은 종이 한 장과 사인펜을 나누어 준다. 성경에서 여호수아 2~4장, 6장을 펴게 한다.

③ 아이들에게 각각의 자음으로 시작하는 단어(명사)를 성경에서 찾아 적으라고 한다. 자음 하나에 단어 하나씩만 적을 수 있다는 규칙을 말해 준다. 아이들은 적은 단어의 수에 따라 각 1점씩을 얻는다.

④ 팀별로 점수를 합산해 높은 팀이 승리한다.

── 여러분 중에 종이에 적은 단어들을 들어 본 친구가 있나요? 오늘의 성경 이야기는 여호수아서에 나와요. 여호수아서를 살펴보면서 우리가 적은 단어들이 무슨 뜻인지 알아보도록 해요.

12개의 돌 릴레이 *

준비물 돌 그림을 그려 넣은 풍선이나 고무공(팀당 12개씩), 컬러 박스 테이프

① 아이들을 3팀 이상으로 나누되, 한 팀에 3명 이상 되도록 한다.

② 컬러 박스 테이프를 바닥에 붙여 출발선과 도착선을 표시해 두고, 아이들을 그 사이에 한 줄로 길게 세운다.

③ 각 팀의 첫 번째 아이 앞에 풍선 12개를 놓아 둔다.

④ 인도자가 "출발!"을 외치면 첫 번째 아이는 풍선을 머리 위로 두 번째 아이에게 전달한다. 두 번째 아이는 풍선을 무릎 사이를 통과해 세 번째 아이에게 전달한다. 이처럼 각각 다른 방법으로 마지막 아이에게까지 전달한다.

⑤ 마지막 아이는 풍선을 받을 때마다 "돌 하나요!", "돌 두 개요!" 하고 소리쳐야 하고, 첫 번째 아이는 이를 신호로 다음 돌을 전달하면 된다고 말해 준다.

⑥ 먼저 12개의 돌들을 다 나른 팀이 이긴다.

── 오늘의 성경 이야기에서 여호수아는 이스라엘 백성에게 요단 강에서 돌 12개를 가져오도록 했어요. 여호수아가 그 돌들을 가지고 무엇을 했는지 잘 들어 보세요!

가스펠 **설교**

(15~30분)

들어가기

준비물 **성경, 이름표, 사파리 여행 복장**(단색 티셔츠, 카키색 바지, 사파리 모자), **옆면에 '주의 : 살아 있는 동물'이라고 쓴 상자**

사파리 여행 복장을 하고 이름표를 달고 성경을 들고 들어온다. 옆면에 '주의 : 살아 있는 동물'이라고 쓴 상자 가까이에 가서 뚜껑 한쪽을 조심스럽게 열었다가 재빨리 닫는다.

와아! 아이들에게 말을 건다. 안녕하세요, 여러분! 오늘 여러분에게 이 아름다운 동물을 소개하게 되어 기뻐요. 오늘은 이 상자 안에 있는 놀라운 동물과 함께하게 되었어요. 이 동물은 참 특별해요. 강하면서도 부드럽거든요. 흠, 이 동물과 비슷한 것이 무엇이 있을까요? 혹시 체험 동물원에 가 본 친구라면 이 동물을 만나 보았을지도 모르겠어요. 애완동물로도 괜찮을 것 같아요. 냄새가 난다는 것만 빼면 말이지요.

이 동물은 오늘의 성경 이야기를 생각나게 해요. 이 동물이 등장하는 것은 아니지만 이 동물의 뿔이 나오거든요. 크기는 1.5m 정도 되고, 몸무게는 120kg 정도 된답니다! 비슷한 동물에는 염소, 들소, 물소, 영양, 소가 있어요. 혹시 아는 친구가 있나요? (양) 맞아요, 잘 맞혔어요! 오늘의 성경 이야기를 들어 보기 전에 우리가 지금까지 공부해 온 내용을 살펴보도록 해요.

연대표

약속의 땅을 정탐했어요

놋뱀을 바라보았어요

하나님이 여리고 성을 주셨어요

죄 때문에 아이 성 전투에서 졌어요

하나님은 이스라엘 백성을 약속의 땅으로 인도하려고 준비하고 계셨어요. 그런데 문제가 생겼어요! 그 땅에는 이미 다른 사람들이 살고 있었거든요. 하나님은 이스라엘 백성에게 "가서 약속의 땅을 정복하라!"라고 하셨어요. 여리고 성이 그 시작점이었지요. 이스라엘 백성은 바로 가서 싸웠을까요? 여러분의 생각은 어떠한가요? 아이들의 대답을 기다린다. 오늘의 성경 이야기를 하기에 앞서 1단원의 '성경의 초점' 질문과 답을 복습해 볼게요.

성경의 초점

우리는 무엇을 믿어야 할까요? 우리는 하나님이 우리를 돌보신다는 것을 믿어요. 맞아요! 하나님은 이스라엘 백성이 하나님을 믿을 수 있도록 계속해서 신실하게 약속을 지키셨어요. 하나님은 이스라엘 백성을 이집트의 포로 생활에서 구하셨고, 그들의 필요를 채워 주셨어요. 아브라함에게 하신 언약을 지키고 계셨지요. 약속의 땅으로 가는 길에서 하나님은 이스라엘 백성에게 신실하셨나요? 그래요, 하나님은 이스라엘 백성에게 신실하셨어요. 오늘의 성경 이야기를 들어 보아요.

성경 이야기

DVD 여호수아 2~4장, 6장을 펴고, 설교 영상(지도자용 팩)을 보여 주거나 이야기 성경을 들려준다.

모세와 이스라엘 백성은 이집트에서 나와서 어디로 향했나요? 맞아요, 바로 약속의 땅 가나안이에요. 모세는 정탐꾼들을 보내 약속의 땅이 어떠한지 살펴보았어요. 그 땅은 정말 훌륭한 땅이었어요! 그렇지만 이스라엘 백성은 두려워했어요. **이스라엘 백성은 약속의 땅을 주시겠다는 하나님의 말씀을 신뢰하지 않았어요.** 그들은 하나님의 약속을 신뢰하지 않은 대가로 광야에서 40년 동안 떠돌아다녀야 했어요.

모든 어른은 죽었고, 어린아이들이 자라 어른이 되었어요. 모세도 죽었어요. 여호수아가 모세의 뒤를 이어 이스라엘의 인도자가 되었지요. 이제 약속의 땅에 들어갈 때가 되었어요. 여호수아는 두 명의 정탐꾼들을 그 땅으로 보냈어요. 정탐꾼들은 라합이라는 여인이 숨겨 주어 정탐을 무사히 마칠 수 있었어요. 하나님은 이스라엘 백성과 함께하셔서 그들이 요단 강을 건너 여리고 성을 정복하게 하셨어요. 마침내 이스라엘 백성은 약속의 땅에 들어갔어요!

복/습/질/문

이제부터 오늘의 성경 이야기에 대해 몇 가지 질문을 할 테니 답을 아는 사람은 손을 들어 보세요.

1 여리고 성의 사람들은 왜 이스라엘 백성을 두려워했나요?

여호와께서 이스라엘 백성과 함께하신다는 것을 알았기 때문이다 (수 2:8~11)

2 라합은 정탐꾼들에게 어떤 부탁을 했나요?

자신과 가족을 살려 달라고 부탁했다 (수 2:12~13)

3 이스라엘 백성이 요단 강에서 돌을 가져다 둔 이유는 무엇인가요?

하나님이 요단 강을 건너게 하신 일을 기념하기 위해 (수 4:2~7)

4 믿는 사람들을 영원한 약속의 땅으로 인도하시는 분은 누구이신가요?

예수님 (요 14:2~3)

5 우리는 무엇을 믿어야 할까요?

우리는 하나님이 우리를 돌보신다는 것을 믿어요.

하나님은 이스라엘 백성을 위해 싸우셨고, 그들을 약속의 땅으로 인도하셨어요. 여호수아는 여리고 성 전투를 준비할 때 하나님의 명령에 순종했어요. 이스라엘 백성은 여리고 성 주위를 돌았고, 제사장들은 양의 뿔로 만든 나팔을 불었어요. 이스라엘 백성이 큰 소리로 외치자 성이 와르르 무너져 내렸어요. 하나님은 여리고 성을 이스라엘 백성에게 주셨어요.

하나님이 여리고 성 전투에서 이스라엘 백성을 위해 싸우신 것처럼 예수님도 믿는 사람들이 영원한 약속의 땅에 들어갈 수 있도록 대적들과 싸워 승리하셨어요.

복음 초청

성경과 29쪽 복음 초청 가이드를 이용해서 아이들에게 그리스도인이 되는 법을 설명해 준다. 따로 상담해 줄 사람을 정해 주고 궁금한 점이 있으면 물어보도록 격려한다.

이 시간 예수님을 마음에 모시고 싶은 친구는 함께 기도해요.

기도

하나님, 감사합니다! 하나님의 능력을 보여 주시고 여리고 성을 무너뜨리신 하나님을 찬양합니다. 말씀을 주셔서 우리가 배우게 해 주셔서 감사합니다. 우리가 우리를 돌보시는 하나님을 믿을 수 있도록 도와주세요. 언제나 신실하신 하나님, 감사하고 사랑합니다. 예수님의 이름으로 기도합니다. 아멘.

적용

TIP 설교 도입이나 적용으로 활용하거나 영상을 본 뒤 소그룹에서 풍성한 대화를 이어 갈 수 있습니다.

어떤 일을 할 때 혼자 하는 것이 쉬운가요, 아니면 다른 사람의 도움을 받아서 하는 것이 쉬운가요? 혼자 하는 것보다 함께 할 때 더 쉬운 이유는 무엇일까요? 다음 영상을 보면서 생각해 보세요.

DVD 적용 예화 영상(지도자용 팩)을 보여 준다.

넬은 도움을 받았어야 했나요? 이스라엘 백성은 약속의 땅에 들어갈 때 하나님의 말씀을 신뢰하는 것이 쉬웠을까요, 아니면 어려웠을까요? 만약 그들이 하나님의 도우심 없이 대적들과 싸웠다면 아마 전쟁에서 패했을 거예요. 이스라엘 백성은 하나님의 도우심을 신뢰해야 했어요.

아이들에게 왜 하나님이 여리고 성을 신기한 방법으로 정복하게 하셨는지에 대해 생각해 보라고 한다. 이스라엘 백성은 성 주위를 도는 것이 여리고 성을 정복하는 데 어떤 도움이 될지 몰랐지만 하나님의 말씀에 순종했다. 아이들에게 이 점을 강조해서 말해 준다.

우리는 무엇을 믿어야 할까요? 우리는 하나님이 우리를 돌보신다는 것을 믿어요. 우리가 하나님의 도우심을 신뢰한다는 것을 어떻게 보일 수 있을까요?

가스펠 **소그룹**

(10~20분)

나침반

몸으로 기억해요

준비물 1단원 암송(106쪽)

① 아이들과 함께 1단원 암송을 큰 소리로 읽는다.

— 여호수아 1장 9절은 하나님이 누구에게 하신 말씀인가요? (여호수아) 하나님이 여호수아에게 맡기신 중요한 일은 무엇인가요? (이스라엘 백성을 약속의 땅으로 인도하는 것)

② 주요 단어에 해당하는 동작을 만들어 따라 하게 한다. 아이들이 만든 동작을 연습해도 좋고 다음 예를 참조해도 좋다.

예) · 명령 : 검지로 앞을 가리킨다.

· 강하고 : 팔을 구부리며 힘을 주어 근육을 보여 준다.

· 담대하라 : 양손을 허리에 얹고 고개를 든다.

· 두려워하지 말며 놀라지 말라 : 고개를 흔든다.

· 어디로 가든지 : 차렷한 상태에서 팔을 양옆으로 활짝 편다.

· 네 하나님 여호와 : 양팔을 차례로 높이 든다.

— 하나님은 이스라엘 백성에게 6일 동안 매일 여리고 성 주위를 한 바퀴씩 돌게 하셨어요. 그들은 두려워하거나 낙심하지 않았어요. 하나님이 함께하셨기 때문이에요. **하나님은 이스라엘 백성을 위해 싸우셨고, 그들을 약속의 땅으로 인도하셨어요.**

보물 지도

스킷 드라마

① 아이들을 3명씩 나눈 뒤 팀별로 오늘의 성경 이야기에 해당되는 성경 장을 정해 준다.

예) 정탐꾼들과 라합(수 2장), 요단 강을 마른 땅으로 건너기(수 3~4장), 여리고 성 정복하기(수 6장)

② 팀별로 내레이터, 등장인물 등을 정한 뒤 내용에 맞추어 스킷 드라마를 연습하는 시간을 갖게 한다.

③ 연습이 끝나면 무대에 한 팀씩 올라와 공연한다.

— 여호수아와 이스라엘 백성은 여리고 성을 정복하기 위한 전투를 준비할 때 하나님의 명령에 순종했어요. 그리고 하나님은 여리고 성을 그들에게 주셨어요. **하나님은 이스라엘 백성을 위해 싸우셨고, 그들을 약속의 땅으로 인도하셨어요.**

탐험하기

요단 강을 건너요

준비물 학생용 교재 12쪽, 연필, 성경

① 요단 강 돌들에 적혀 있는 문장을 읽고, 오늘의 성경 이야기 순서에 맞는 돌을 찾아 1부터 12까지 차례대로 번호를 적어 보게 한다.

② 도움이 필요하다면 성경에서 여호수아 2~4장, 6장을 펴고 읽어 보게 한다.

— 이스라엘 백성은 하나님이 함께하심으로 놀라운 기적들을 경험했어요. 그들이 할 일은 오직 하나, 하나님을 믿는 것이었답니다. 예수님이 언제나 함께하신다는 사실을 믿으면 우리도 놀라운 기적들을 경험하며 살아갈 수 있어요.

여리고 성이 와르르!

준비물 학생용 교재 13쪽, 연필

여호수아 6장 20~25절을 읽고 이스라엘 백성이 진멸시킨 것(사람 4명, 소, 양, 나귀)을 찾아 ○표 하고, 하나님이 살려 주고 구별하려고 하신 것(라합, 금속으로 된 그릇)을 찾아 ☆표 하게 한다.

— 여리고 성은 매우 튼튼했고 큰 성벽으로 둘러싸여 있었어요. 그곳에 사는 사람들은 성벽이 자신들을 안전하게 지켜 줄 것이라고 생각했어요. 하지만 **하나님은 이스라엘 백성을 위해 싸우셨고, 그들을 약속의 땅으로 인도하셨어요.**

줄 맞추어 앞으로 행진하라 *

① '행진'이란 줄을 맞추어 앞으로 나가는 것이라고 설명한다.

② 아이들에게 이스라엘 백성이 여리고 성 주위를 어떻게 행진했을지 상상해 보라고 말한다.

③ 아이들을 여러 줄로 세우고 행진과 자세를 연습하게 한다.

예) '차렷' : 발뒤꿈치를 붙이고 발끝이 살짝 바깥쪽을 향하게 선다. 팔은 펴서 바지 재봉선에 붙인다.

'좌향좌' : 왼쪽으로 방향을 바꾼다.

'우향우' : 오른쪽으로 방향을 바꾼다.

'뒤로 돌아 가' : 뒤로 돌아 행진한다.

④ 아이들이 행진 명령을 다 익히면 한 명을 앞으로 나오게 해 행진을 명령하는 역할을 맡긴다.

— **하나님은 이스라엘 백성을 위해 싸우셨고, 그들을 약속의 땅으로 인도하셨어요.** 하나님이 이스라엘 백성을 위해 여리고 전쟁에서 이기신 것처럼 예수님은 모든 대적과 싸워 이기셨고, 믿는 자들을 영원한 약속의 땅으로 인도하세요.

기억의 돌 꾸미기 *

준비물 **매끄러운 돌, 여러 색의 네임 펜**

① 아이들에게 매끄러운 돌을 여러 개 나누어 주고 오늘의 성경 이야기와 관련해 여러 색의 네임 펜으로 꾸미게 한다. 돌에 1단원 암송 구절을 적고 꾸며도 좋다.

② 아이들이 기억의 돌을 꾸미는 동안 이스라엘 백성이 요단 강을 건너 약속의 땅으로 들어갈 때 어떤 일이 있었는지 떠올려 준다.

③ 돌을 가지고 다니며 볼 때마다 **"우리는 하나님이 우리를 돌보신다는 것을 믿어요"**라는 '성경의 초점'의 답을 기억하라고 말해 준다.

— 하나님은 이스라엘 백성에게 이 돌들이 징표가 될 것이라고 말씀하셨어요. 그들은 하나님의 명령을 따라 12개의 돌들을 요단 강에서 가져와 징표로 삼았어요.

우리도 오늘 기억의 돌들을 만들어 보았어요. 우리는 기억의 돌들에 하나님의 말씀이나 하나님이 우리를 돌보아 주신다는 내용을 담았지요. **우리는 무엇을 믿어야 할까요?** 아이들의 대답을 기다린다. 맞아요, **우리는 하나님이 우리를 돌보신다는 것을 믿어요.**

보물 상자

나만의 기록장

준비물 **학생용 교재 14쪽, 연필**

① 하나님이 우리 가족을 위해 행하신 일들을 떠올린 후에 글로 표현해 보게 한다.

② 만약 잘 기억나지 않는다고 하면 성경에서 하나님이 이스라엘 백성을 도와주셨던 사건들을 적어 보게 한다.

— **하나님은 이스라엘 백성을 위해 싸우셨고, 그들을 약속의 땅으로 인도하셨어요.** 하나님은 이스라엘 백성을 도우신 것처럼 우리도 도와주세요. 하나님께 감사의 기도를 함께 드려요.

메시지 카드

이번 주 메시지 카드로 부모님과 함께 오늘 배운 성경 이야기를 나누어 보라고 한다.

기도

하나님, 언제나 이스라엘 백성을 돌보아 주셨듯 아들이신 예수님을 이 땅에 보내셔서 우리를 죄에서 구원하시고 돌보아 주셔서 감사드립니다. 아주 작은 일부터 큰 일까지 우리를 항상 돌보아 주시는 하나님을 믿습니다. 선하신 하나님을 찬양합니다. 예수님의 이름으로 기도합니다. 아멘.

4

죄 때문에 아이 성 전투에서 졌어요

수 7~8장

단원 암송

내가 네게 명령한 것이 아니냐 강하고
담대하라 두려워하지 말며 놀라지 말라
네가 어디로 가든지 네 하나님 여호와가
너와 함께하느니라 하시니라(수 1:9).

성경의 초점

우리는 무엇을 믿어야 할까요?
우리는 하나님이 우리를 돌보신다는 것을
믿어요.

본문 속으로

이스라엘 백성이 여리고를 정복했을 때 하나님은 아무것도 취하지 말라고 명령하셨습니다. 여리고 성의 모든 것을 파괴하고 하나님을 위해 구별하라고 하셨습니다. 아마도 아간은 몇 가지를 따로 챙기더라도 아무도 모를 것이라고 생각했을 것입니다. 외투는 아름다웠고, 금과 은은 나중에 유용하게 쓸 법했습니다. 그는 별로 문제 될 것이 없다고 생각했습니다. 하지만 결코 그렇지 않았습니다. 하나님은 이스라엘 백성에게 완전한 순종을 요구하셨습니다.

아이 성에서 3,000명쯤의 군대가 소수의 아이 사람들에게 패했을 때 여호수아가 얼마나 놀랐을지 상상해 보십시오. 이것은 하나님이 이스라엘 백성을 대적으로부터 보호하겠다고 하신 약속을 어기신 것이 아닙니까?

다음 날 하나님은 죄지은 자가 있으며, 그가 바로 아간이라는 사실을 밝히셨습니다. 이스라엘 백성은 아간과 가족을 돌로 쳐 죽였고, 그 위에 돌무더기를 쌓아 볼 때마다 죄의 결과를 기억했습니다.

이스라엘 백성은 다시 아이 성 사람들과 전투를 벌였습니다. 이번에는 하나님이 이스라엘 백성과 함께하셨습니다. 하나님은 여리고 성을 무너뜨리셨던 것처럼 아이 성을 멸하셨습니다. 다만 이번에는 아이 성을 약탈한 뒤 물건과 가축을 취할 수 있었습니다.

아간의 이야기는 하나님이 죄를 얼마나 미워하시는지를 보여 줍니다(잠 6:16~19 참조). 하나님은 공의로우셔서 죄를 벌하십니다. 나쁜 소식은 우리 모두가 죄인이며 "죄의 삯은 사망"이라는 것입니다. 그러나 좋은 소식이 있습니다. "하나님의 은사는 그리스도 예수 우리 주 안에 있는 영생이니라"(롬 6:23).

티칭 포인트

이스라엘 백성과 함께하시는 하나님의 임재는 하나님에 대한 그들의 순종과 직접적으로 연결되어 있었습니다. 아이들에게 복음에 대해 가르칠 때 순종이 아니라 믿음만이 우리를 하나님 앞에서 의롭게 한다는 사실을 이해하도록 도와주십시오. 예수 그리스도를 믿는 믿음으로 인해 우리가 하나님과 항상 함께할 수 있고, 죄와 죽음이라는 대적에게 승리할 수 있게 되었다는 사실을 알려 주십시오.

주 제

하나님은 아간의 죄를 벌하신 뒤
아이 성에서 이스라엘 백성을 위해
싸우셨어요.

가스펠 링크

예수님은 죄를 지어 벌을 받아야 할
우리를 대신해 십자가에서 죽으셨어요.
우리는 죄를 고백하고 예수님을 믿으면
죄를 용서받고 구원받을 수 있어요.

죄 때문에 아이 성 전투에서 졌어요 수 7~8장

여호수아는 이스라엘 백성을 약속의 땅으로 인도했어요. 이스라엘 백성은 가나안에 살고 있는 사람들을 계속 무찔러야 했어요. 하나님은 이스라엘과 함께하셨고, 그들을 위해 싸우겠다고 약속하셨어요.

하나님은 이스라엘 백성이 여리고 성을 정복하도록 도우셨어요. 또한 그들이 여리고 성에서 어떻게 행해야 할지를 자세하게 알려 주셨어요. 어떤 것을 파괴해야 할지, 어떤 것을 구별해서 하나님께 드려야 할지에 대해 말씀해 주셨지요. 그러나 이스라엘 백성은 하나님의 말씀에 완전하게 순종하지 않았어요. 자신들을 위해 몇 가지 물건을 챙긴 거예요. 하나님은 모든 것을 알고 계셨지요. 하나님은 이스라엘 자손에게 화가 나셨어요. 그래서 그들이 여리고보다 훨씬 작은 아이 성에서 싸울 때 하나님은 그들을 위해 싸우지 않으셨어요. 아이 성의 군사들은 도망가는 이스라엘 백성을 뒤쫓아와 죽게 했어요.

이스라엘 백성은 두려움에 빠졌고, 여호수아는 슬퍼했어요. 그는 하나님이 왜 이스라엘이 전쟁에서 지도록 그냥 놔두셨는지 이해할 수가 없었어요. 하나님은 이렇게 말씀하셨어요. "이스라엘 백성이 죄를 지었다. 그들이 내 명령을 어기고 여리고 성에서 물건을 가져갔다. 이것이 너희가 아이 성 전투에서 진 이유다." 하나님은 여호수아에게 이스라엘 백성의 죄를 어떻게 다루어야 할지 알려 주셨어요.

다음 날 이스라엘 백성이 모이자 하나님은 누가 죄를 지었는지 여호수아에게 보여 주셨어요. 그의 이름은 아간이었어요. 아간은 자신이 여리고 성에서 아름다운 외투와 금과 은을 훔쳤다고 자백했어요. 아간이 그것들을 그의 장막 안 땅속에 감추어 두었던 거예요. 이스라엘 백성은 아간과 가족을 돌로 쳐서 죽게 했어요.

아간이 죄로 인해 벌을 받고 난 뒤 하나님은 여호수아에게 아이 성을 다시 공격하라고 말씀하셨어요. 이번에는 그들에게 승리를 주겠다고 약속하셨지요.

여호수아는 군대를 모았고, 밤에 한 무리의 군사들을 성 뒤에 숨어 있게 했어요. 다음 날 아침 일찍 나머지 군사들은 성을 향해 올라갔어요. 그들을 발견한 아이 성의 왕은 군사들을 내보냈지요. 아이 성의 군사들이 다가오자 이스라엘 군사들은 전날처럼 도망쳤어요. 그들이 두려워하는 척하자 아이 성의 군사들은 이스라엘 군사들을 뒤쫓아왔어요. 성 뒤편에 이스라엘 군대가 숨어 있는 줄 몰랐기 때문에 아이 성의 모든 군사는 성을 완전히 비워 둔 채 성문까지 열어 놓고 추격했답니다. 여호수아가 단창을 들자 숨어 있던 군사들이 성으로 들어가 불을 질렀어요. 하나님이 명하신 대로 행한 거예요. 아이 성의 군사들이 속았다는 사실을 깨달았을 때는 이미 이스라엘 군대에게 패한 뒤였지요.

여호수아는 하나님을 위해 제단을 쌓았어요. 이스라엘 백성은 하나님께 제사를 드렸고, 여호수아는 그곳에서 모세가 기록한 율법을 크게 읽었어요. 모든 사람이 모세가 이스라엘 백성에게 명했던 율법을 들었어요.

가스펠 링크

아간이 지은 죄에 대한 벌은 사망이었어요. 그가 지은 죄에 비해 너무 심한 벌 같다고요? 성경은 죄의 삯은 사망이라고 말해요(롬 6:23). 죄 때문에 죽을 수밖에 없는 우리를 위해 예수님은 대신 십자가에 매달려 죽으셨어요. 우리는 죄를 고백하고 예수님을 믿으면 죄를 용서받고 영적인 죽음에서 구원받을 수 있어요.

가스펠 **준비**

(10~20분)

환영

도착하는 아이들을 반갑게 맞이하고 헌금, 출석, QT 등을 확인하며 격려한다. 새 친구가 있다면 소개한다. 편안한 분위기에서 안부를 물으며 오늘의 말씀과 관련된 화제로 이야기를 나눈다. 죄를 짓고 나서 숨기려고 했던 경험에 대해 이야기를 나누어 본다. 자발적으로 대화에 참여하도록 이끈다.

예) "슬쩍 챙기고 싶은 욕심을 느껴 본 적이 있나요?", "혹시 들키지만 않으면 잘못된 행동을 해도 괜찮다고 생각하는 친구가 있나요? 왜 그렇게 생각하나요?" 등.

마음 열기

이것이 뭐라고? *

준비물 예배실에 있는 물건

① 아이들을 둥글게 앉힌 뒤 한 아이에게 예배실에 있는 물건 중에서 하나를 건넨다.

② 아이에게 원하는 방향(오른쪽이나 왼쪽)으로 옆에 앉은 친구에게 물건을 전달하되(금괴, 은 동전, 외투를 대신할 물건), 어떤 물건인지 두 번 설명해야 한다는 게임의 규칙을 설명해 준다. 이때 물건을 받은 아이는 "이것이 뭐라고?"라고 질문해야 한다고 말해 준다.

예) · 첫 번째 아이 : "이것은 무거운 금괴야!"

· 두 번째 아이 : "이것이 뭐라고?"

· 첫 번째 아이 : "이것은 무거운 금괴야!"

③ 아이들이 '금괴'를 전달하는 동안 인도자가 다시 첫 번째 아이에게 '은 동전'을 건네주고, "이것은 반짝반짝 빛나는 은 동전이야"라고 말하며 원하는 방향(오른쪽이나 왼쪽)으로 옆에 앉은 친구에게 물건을 전달하게 한다. 이어서 '아름다운 외투'를 건네며 "이것은 아름답고 따뜻한 외투야"라고 설명하라고 일러 준다.

④ 세 가지 물건이 모두 실수 없이 전달되어 한 바퀴를 돌면 네 번째 물건으로 인도자가 선택한 '특별한 보물'을 건네 같은 방식으로 게임을 진행한다.

— 여러 가지 물건을 옆 친구에게 전달해 보았어요. 어려웠나요? 오늘의 성경 이야기에는 우리가 오늘 만져 본 금, 은, 그리고 외투를 장막에 숨긴 사람이 나와요. 그는 하나님으로부터 이 물건들을 숨기려고 했어요. 하나님이 모르셨을까요, 아셨을까요?

누가 썩은 사과일까? *

① 아이들을 앉힌 뒤 눈을 감게 한다.

② 사과가 썩으면 가스가 나와서 주위 사과들도 상하게 한다고 설명해 준다.

③ 인도자가 조용히 아이들 주변을 다니다가 한 아이의 어깨를 톡 쳐서 '썩은 사과'라는 사실을 알려 준다. 잠시 후 "시작!"을 외치면 아이들이 눈을 뜨고 돌아다니면서 서로 악수하게 한다.

④ 아이들에게 '썩은 사과'는 악수할 때 친구의 손을 살짝 두 번 쥘 것인데 주변 친구들이 눈치채지 못하게 해야 하며, 여러 명에게 같은 행동을 반복할 것이라고 말해 준다.

⑤ '썩은 사과'와 악수한 아이는 조용히 다섯까지 센 다음 자리에 앉아야 한다고 일러 준다. 썩은 사과와 악수해서 상했기 때문이다.

⑥ 아이들이 절반 정도 남았을 때 살아남은 아이들이 '썩은 사과'를 알아맞히면 게임이 끝난다.

— 썩은 사과는 우리에게 죄에 대해 가르쳐 주어요. 썩은 사과가 다른 사과들을 상하게 하듯이, 한 사람의 죄는 다른 사람들에게 영향을 준답니다. 아간의 죄 때문에 그의 가족과 아이 성 전투에 참여했던 이스라엘 백성 중에 일부가 죽은 것처럼 말이에요. 그러나 우리에게는 희망이 있어요! 예수님이 우리를 대신해서 십자가에서 죽으심으로 죄의 대가를 치러 주셨기 때문에 예수님을 믿는 사람은 죄를 용서받을 수 있어요. **우리는 무엇을 믿어야 할까요? 우리는 하나님이 우리를 돌보신다는 것을 믿어요.**

가스펠 **설교**

(15~30분)

들어가기

준비물 성경, 이름표, 사파리 여행 복장(단색 티셔츠, 카키색 바지, 사파리 모자), 옆면에 '주의: 살아 있는 동물'이라고 쓴 상자

사파리 여행 복장을 하고 이름표를 달고 성경을 들고 들어온다. 옆면에 '주의 : 살아 있는 동물'이라고 쓴 상자 가까이에 가서 뚜껑 한쪽을 조심스럽게 열었다가 재빨리 닫는다.

와우, 알았어! 아이들을 바라보며 인사한다. 안녕하세요, 여러분! 오늘 이 상자 안에 들어 있는 놀라운 동물, 아니 동물들과 함께하게 된 여러분을 환영합니다. 그래요, 이 상자 안에는 한 마리 이상의 동물들이 들어 있어요. 이 동물들에 대한 사실을 이야기해 주면 여러분이 믿을지 모르겠네요. 그럼 힌트를 줄게요. 어떤 동물인지 한번 맞혀 보세요.

첫 번째 동물은 어떤 동물보다도 빠르게 날 수 있어요. 시속 320km로 날아서 뾰족한 발톱으로 먹이를 공격한답니다. 무슨 동물일까요? 아이들의 대답을 기다린다. 맞아요! 송골매예요. 뭐라고요? 이 상자 안에 송골매가 들어 있을 것 같지 않다고요? 맞아요, 여기에는 송골매가 없어요. 정말 가져오고 싶었는데 그만 놓치고 말았지 뭐예요!

이제, 두 번째 동물 차례예요. 이 동물은 떼를 지어 사냥하기도 하는데 시속 110km로 수영할 수 있어요. 정말 놀랍지요! 혹시 아는 친구가 있나요? 아이들의 대답을 기다린다. 이 동물은 바로 세상에서 제일 빠른 물고기인 돛새치랍니다! 잠깐만요, 뭐라고요? 돛새치도 상자 안에 없을 것 같다고요? 한숨을 쉰다. 맞아요, 돛새치도 이 안에 없어요. 오늘 아침에 바닷가에 가지 못했거든요.

마지막으로, 세 번째 동물은 긴 근육질의 다리를 가지고 있어서 시속 100km로 달릴 수 있어요. 3초 안에 최대 속도를 낼 수 있고요. 놀랍지요! 이 동물은 과연 무엇일까요? 아이들의 대답을 기다린다. 맞아요, 치타랍니다! 여러분, 이 상자 안에 과연 치타가 있을까요? 그것은 두고 봐야 알 것 같군요!

이제 더 이야기를 나누기 전에 한 발짝 뒤로 가서 연대표를 살펴보아요.

연대표

이스라엘이 약속의 땅 가나안에서 가장 처음 정복한 성은 어디일까요? 아는 친구는 손을 들어 답해 주세요. (여리고 성)

맞아요, 이제 이스라엘 백성은 아이 성을 정복해야 했어요. 이스라엘 백성은 여리고 성 전투에서 승리를 주신 하나님을 믿어야만 했어요.

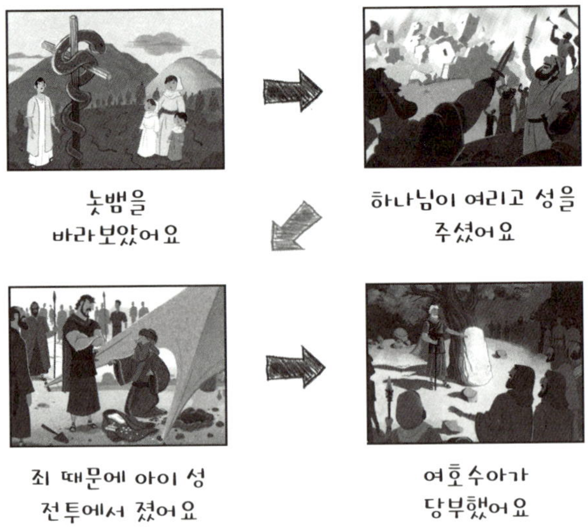

성경의 초점

1단원의 '성경의 초점'을 말해 볼까요? **우리는 무엇을 믿어야 할까요? 우리는 하나님이 우리를 돌보신다는 것을 믿어요.** 여러분이 누군가를 믿는다면 그의 말에 순종해야 해요. 부모님을 믿는다면 부모님의 말에 순종해야 해요. 때로는 너무 싫어하는 당근을 더 먹으라고 말씀하시더라도 그대로 따라야 하지요. 부모님은 여러분에게 가장 좋은 것이 무엇인지 아시기 때문이에요. 믿음을 보여 주기 위한 가장 좋은 방법은 순종이에요.

성경 이야기

DVD 여호수아 7~8장을 펴고, 설교 영상(지도자용 팩)을 보여 주거나 이야기 성경을 들려준다.

오늘의 성경 이야기와 관련된 질문에 답을 해 볼까요?

1 이스라엘 백성이 여리고 성을 공격했을 때 하나님은 아무것도 가져오지 말라고 말씀하셨어요. 모든 것을 파괴하라고 말씀하셨지요! 사람들은 하나님의 말씀에 순종했나요?

아니다. 아간은 자신을 위해 몇 가지를 챙겼다 (수 7:1)

❷ 아간은 하나님께 순종하지 않았어요. 그는 하나님의 계획이 최고라는 사실을 믿지 않았지요. 우리는 무엇을 믿어야 할까요?

우리는 하나님이 우리를 돌보신다는 것을 믿어요.

❸ 하나님은 죄의 대가를 이스라엘에게 어떤 방법으로 보여 주셨나요?

아이 성 전투에서 함께하지 않으셨다. 그들은 모두 패배했다.

여호수아는 혼란스러웠어요. 하나님이 승리를 주실 것이라고 약속하셨는데 아이 성 전투에서 패배했으니까요. 하나님은 여호수아에게 아간이 죄를 지었다는 것을 보여 주셨어요. 아간은 사람들에게 자신의 잘못을 숨기려고 했지만 하나님은 모든 것을 알고 계셨어요. 하나님은 모든 것을 보시는 분이에요. **하나님은 아간의 죄를 벌하신 뒤 아이 성에서 이스라엘 백성을 위해 싸우셨어요.**

찬양

강하고 담대하라

우리의 승리는 하나님 말씀
믿음으로 걸어가면 난 겁낼 것 없죠

우리의 승리는 하나님 말씀
주를 믿고 나아갈 때 약속의 땅을 얻으리

강하고 담대하라
우리 주님 늘 함께하시니
어느 곳에 가든지 날 떠나지 않네
여호와 주 하나님.

DVD ※지도자용 팩 또는 가스펠 프로젝트 홈페이지(gospelproject.co.kr)에서 이용하세요.

복음 초청

성경과 29쪽 복음 초청 가이드를 이용해서 아이들에게 그리스도인이 되는 법을 설명해 준다. 따로 상담해 줄 사람을 정해 주고 궁금한 점이 있으면 물어보도록 격려한다.

이 시간 예수님을 마음에 모시고 싶은 친구는 함께 기도해요.

기도

하나님, 오늘의 성경 이야기를 통해 죄의 결과는 사망이라는 것을 알게 되었습니다. 죄로 인해 죽을 수밖에 없는 우리를 위해 예수님을 이 땅에 보내 주시고 구원해 주셔서 감사합니다. 우리를 구원하신 예수님의 사랑에 감사하며 날마다 믿음으로 승리하며 살아가도록 도와주세요. 예수님의 이름으로 기도합니다. 아멘.

적용

TIP 설교 도입이나 적용으로 활용하거나 영상을 본 뒤 소그룹에서 풍성한 대화를 이어 갈 수 있습니다.

아간이 지은 죄에 대한 벌이 너무 심하다고 생각하나요? 여러분이 생각하기에는 별로 잘못하지 않은 것 같은데 벌을 받았던 적이 있나요? 다음 영상을 보면서 함께 생각해 보아요.

DVD 적용 예화 영상(지도자용 팩)을 보여 준다.

제이컵이 교장 선생님께 장난을 친 것은 친구들에게 한 것보다 더 나쁜 것일까요? 그 이유가 무엇인가요? 아이들의 대답을 기다린다. 장난이 심각한지, 아닌지는 상대방에 따라 달라져요. 이것은 죄의 문제와 연결될 수 있어요. 하나님께 짓는 죄는 매우 심각한 문제예요. 하나님이 어떤 분이신지와 연결되는 문제이기 때문이에요. 그래서 하나님께 짓는 죄에는 '작은' 죄라는 것이 없어요. 하나님께 영광 돌리지 않는 모든 죄는 '큰' 문제이기 때문이에요.

성경은 "죄의 삯은 사망"(롬 6:23)이라고 말해요. 아간은 죄를 지었고, 그 죄 때문에 죽고 말았어요. 우리의 죄에 대한 벌도 죽음이에요. 하나님은 거룩하시기 때문이지요. 하나님은 죄를 미워하세요. 그러나 하나님은 사랑의 하나님, 자비의 하나님, 은혜의 하나님이기도 하세요. 하나님은 아들이신 예수님을 보내셔서 우리 대신 죽게 하셨어요. 우리는 죄를 고백하고 예수님을 믿으면 죄를 용서받을 수 있어요.

가스펠 **소그룹**

(10~20분)

나침반

통통 말씀 공

준비물 1단원 암송(106쪽), 사인펜, 종이

① 아이들에게 1단원 암송 구절 단어를 각각 배정해 준다.

TIP 아이들의 수가 많으면 2~3명을 한 팀으로 하고 단어 하나를 배정해 게임을 진행한다.

② 종이와 사인펜을 나누어 주고, 배정받은 단어를 종이에 적은 뒤 구겨서 공처럼 만들게 한다.

③ 아이들을 둥글게 세운 뒤 인도자의 "시작!" 신호와 함께 말씀 공을 공중에 던지게 한다. 공이 떨어지지 않도록 통통 쳐 주고, 만약 떨어졌으면 잽싸게 주워서 다시 던지라고 말해 준다.

④ 인도자가 "그만!" 하면 아이들은 말씀 공이 바닥에 떨어지도록 두어야 한다.

⑤ 마지막 말씀 공이 바닥에 떨어진 순간 재빨리 떨어진 말씀 공들을 주워 편 뒤 암송 구절 순서대로 배열하게 한다. 완성된 암송 구절을 다 함께 큰 소리로 읽어 본다.

— 잘했어요, 여러분! 여호수아 1장 9절은 하나님이 여호수아를 이스라엘의 지도자로 세우면서 하셨던 말씀이에요. 오늘의 성경 이야기에서 우리는 하나님이 아이 성 전투에서 이스라엘 백성을 위해 어떻게 싸우셨는지 배웠어요. 이스라엘 백성은 용기를 얻었어요. 하나님이 승리를 주실 줄 믿었기 때문이지요. **우리는 무엇을 믿어야 할까요? 우리는 하나님이 우리를 돌보신다는 것을 믿어요.**

보물 지도

수수께끼를 맞혀 보아요!

준비물 성경, 색인 카드, 연필

① 아이들에게 성경, 색인 카드, 연필을 나누어 준다.

② 성경에서 여호수아 7~8장을 편 뒤 오늘의 성경 이야기와 관련해 문장을 적어 보게 한다. 이때 '참' 문장을 써도 되고 '거짓' 문장을 써도 된다고 말해 준다. '거짓'일 경우 아래에 해당 성경 구절을 작게 적어 넣으라고 한다.

③ 한 명씩 돌아가면서 자기가 쓴 문장을 큰 소리로 읽게 한다. 나머지 아이들은 문장이 '참'인지 '거짓'인지 맞혀야 한다고 말해 준다.

④ '거짓' 문장이면 수수께끼를 낸 아이가 해당 성경 구절을 알려 주고, 아이들 중 한 명이 큰 소리로 읽게 해 확인해 본다.

⑤ 마지막 아이까지 같은 방법으로 게임을 진행한다.

⑥ 시간 여유가 있다면 하나 이상의 문장을 써도 좋다. 또는 인도자가 다음 문장을 읽어 주고 아이들이 맞히게 해도 좋다.

예) 1. 이스라엘 백성은 하나님께 완전히 순종했어요.

거짓, 그들은 하나님께 완전히 순종하지 않았다 (수 7:1, 11)

2. 아간은 자신이 아름다운 외투, 금, 은을 챙겼다고 고백했어요.

참 (수 7:20~21)

3. 아간은 죄를 지어 감옥에 갇혔어요.

거짓, 아간은 죽임을 당했다 (수 7:25)

4. 하나님은 아이 성에서 이스라엘 백성을 위해 싸우셨어요.

참 (수 8:19~18)

— 약속의 땅에서 이스라엘 백성과 함께하시고 그들을 위해 싸울 것이라고 약속하셨던 하나님은 이스라엘 백성이 아이 성 전투에서 패배하게 하셨어요. 그들과 함께하지 않으셨지요. 그 이유가 무엇일까요? (이스라엘 백성이 하나님께 완전히 순종하지 않았기 때문에, 아간이 죄를 지었기 때문에) 아간의 죄는 큰 죄였어요. 하나님은 죄를 미워하세요. 그리고 죄는 이스라엘 백성을 하나님으로부터 분리시켰어요. **하나님은 아간의 죄를 벌하신 뒤 아이 성에서 이스라엘 백성을 위해 싸우셨어요.**

우리도 죄인이에요. 모든 사람은 죄를 지어요. 아간처럼 우리도 죄로 인해 죽어야만 했어요. 그것은 정말 나쁜 소식이에요. 그러나 우리에게 좋은 소식이 있어요. 좋은 소식이 무엇인지 혹시 아는 친구가 있나요? 아이들의 대답을 기다린다. 맞아요, 하나님의 아들이신 예수님이 이 땅에 오셔서 십자가에서 우리를 위해 대신 죽으셨어요. 우리는 죄를 고백하고 예수님을 믿으면 죄를 용서받고 영적인 죽음에서 구원받을 수 있어요.

탐험하기

사라진 글자

준비물 학생용 교재 16쪽, 연필

그림에 숨겨진 글자를 찾아 빈칸에 적어 4과의 주제 문장을 완성해 보게 한다.

— 하나님은 죄를 그냥 두지 않으세요. 하나님은 거룩한 분이시기 때문이에요. **하나님은 아간의 죄를 벌하신 뒤 아이 성에서 이스라엘 백성을 위해 싸우셨어요.**

하[나]님은 아[간]의 죄를

[벌]하신 뒤 [아][이] 성에서

이[스][라]엘 백성을 위해 [싸]우셨어요.

숨긴 물건을 찾아라!

준비물 학생용 교재 17쪽, 연필

그림에서 아간이 숨겨 놓은 물건들(아름다운 외투, 금, 은)을 찾아 ○표 하게 한다.

— 아간은 아름다운 외투와 금, 은을 자신의 장막 가운데 땅속에 감추었어요. 아무도 모를 것이라고 생각했거든요. 하지만 하나님은 알고 계셨어요. 아간은 자신이 지은 죄의 벌을 피할 수 없었어요. 하지만 우리는 피할 수 있어요. 예수님이 우리가 지은 죄의 벌을 대신 받으시고 십자가를 지고 죽으셨기 때문이에요. 우리는 죄를 고백하고 예수님을 믿으면 죄를 용서받고 영적인 죽음에서 구원받을 수 있어요.

아간을 찾아라 *

준비물 쪽지, 연필

① 인원수만큼 쪽지를 준비해 '여호수아'와 '아간'을 하나씩만 적은 후 접어 놓는다. 나머지 종이에는 아무것도 적지 않는다.

② 인도자가 쪽지를 바닥에 뿌리면 아이들이 한 장씩 가져가게 한다.

③ '여호수아'가 적힌 쪽지를 가진 아이를 앞으로 나오게 한 뒤, 지금부터 여호수아가 되어 아간을 찾아내야 한다고 말해 준다.

④ 아이들에게 아간인 것처럼, 또는 아간이 아닌 것처럼 연기하라고 한다. 이때 진짜 '아간'이 적힌 쪽지를 가진 아이는 들키지 않도록 조심해야 한다고 말해 준다.

⑤ 여호수아가 아간을 찾아낼 때까지 게임을 계속한다.

— 아간이 지은 죄에 대한 벌은 사망이었어요. 그가 지은 죄에 비해 너무 심한 벌 같다고요? 성경은 죄의 삯은 사망이라고 말해요(롬 6:23). **하나님은 아간의 죄를 벌하신 뒤 아이 성에서 이스라엘 백성을 위해 싸우셨어요.**

보물 상자

나만의 기록장

준비물 학생용 교재 18쪽, 연필

① 혹시 하나님께 무엇인가를 숨기고 싶었던 적이 있었는지 물어보고, 그때를 떠올리며 글로 표현해 보게 한다.

② 사람들은 왜 하나님께 숨기고 싶어 하는지, 그것은 과연 좋은 생각인지, 죄를 지으면 어떻게 해야 할지에 대해 이야기를 나누어 본다.

— 우리는 하나님으로부터 우리의 죄를 숨길 수 없어요. 그렇지만 우리는 죄를 회개하거나 죄로부터 돌이켜 하나님의 용서를 구할 수 있어요. 예수님이 우리가 받아야 할 벌을 대신 받으셨거든요. 우리가 예수님을 믿고 우리의 죄를 고백하면 하나님은 우리를 용서해 주세요(요일 1:9)!

메시지 카드

이번 주 메시지 카드로 부모님과 함께 오늘 배운 성경 이야기를 나누어 보라고 한다.

기도

하나님, 죄는 하나님과 우리 사이를 갈라놓았습니다. 그러나 예수님을 보내셔서 우리의 죄를 가져가게 하심으로 하나님과 우리의 관계를 회복시켜 주셔서 감사합니다. 우리를 구원해 주셔서 감사합니다. 예수님의 이름으로 기도합니다. 아멘.

5

여호수아가 당부했어요

수 23:1~24:28

단원 암송

내가 네게 명령한 것이 아니냐 강하고
담대하라 두려워하지 말며 놀라지 말라
네가 어디로 가든지 네 하나님 여호와가
너와 함께하느니라 하시니라(수 1:9).

성경의 초점

우리는 무엇을 믿어야 할까요?
우리는 하나님이 우리를 돌보신다는 것을
믿어요.

본문 속으로

하나님이 가나안 땅을 점령하게 하신 지 오랜 후에 여호수아는 나이가 많아 늙었습니다(수 23:1). 그는 온 이스라엘 백성을 불러 권면했습니다.

먼저, 여호수아는 하나님이 이스라엘 백성을 위해 싸우신 것과 모든 약속을 신실하게 지키신 것을 상기시켰습니다(수 23:14). 그는 이스라엘 백성이 이 사실을 기억하고 하나님의 말씀을 따라 살기 원했습니다. "그러므로 너희는 크게 힘써 모세의 율법 책에 기록된 것을 다 지켜 행하라 그것을 떠나 우로나 좌로나 치우치지 말라"(수 23:6). 하나님의 말씀을 읽고, 묵상하고, 순종하는 것은 믿음의 증거입니다. 여호수아는 이스라엘 백성이 번영할 수 있었던 것은 하나님께 순종했기 때문임을 기억하기 원했습니다.

또한 여호수아는 이스라엘 백성에게 하나님이 약속하신 모든 좋은 것이 이루어진 것처럼 불순종의 대가에 대한 약속의 말씀도 모두 이루어질 것이라는 경고를 남겼습니다(수 23:12~13, 15).

여호수아는 하나님이 아브라함과 언약을 맺으신 바로 그 장소로 모든 사람을 불러 모았습니다(창 12:6~7). 그는 지도자들에게 이삭의 탄생에서부터 출애굽 사건에 이르는 과거를 상기시켰습니다. 여호수아는 "너희가 섬길 자를 오늘 택하라 오직 나와 내 집은 여호와를 섬기겠노라"(수 24:15)라고 말했습니다.

이스라엘 백성은 선택의 기로에 놓였습니다. 이는 계속해서 여호와를 섬길 것인지, 아니면 다른 신들을 섬길지에 대한 선택이었습니다. 하나님의 신실하심에 대한 응답으로 이스라엘 백성은 하나님께 신실하겠다는 자신들의 언약을 새롭게 했습니다.

티칭 포인트

여호수아가 남긴 하나님께 순종하라는 믿음의 유산에 대해 아이들과 나누면서 가장 위대한 유산은 예수 그리스도에게서 찾을 수 있다고 알려 주십시오. 예수님이 부활하신 이후에 제자들을 모든 나라와 족속으로 보내 예수님을 전하게 하셨다는 사실을 말해 주십시오. 예수님은 믿는 자들을 부르셔서 예수님을 전하게 하기를 원하십니다.

주 제

여호수아는 이스라엘 백성에게
하나님만 섬기도록 권면했어요.

가스펠 링크

여호수아가 하나님께 순종하라는 믿음의
유산을 남겼듯이 부활하신 예수님은
제자들과 우리에게 복음을 전파하라는
믿음의 사명을 남기셨어요.

여호수아가 당부했어요 수 23:1~24:28

하나님은 가나안 땅의 적들을 물리치시고 이스라엘에게 안식을 주셨어요. 그 후 오랜 세월이 흘렀어요. 나이가 든 여호수아는 죽음을 앞두고 모든 이스라엘 백성을 불러 모아 중요한 메시지를 전했어요.

"여러분은 하나님이 여러분을 위해 이 모든 민족에게 행하신 일들을 다 보았습니다. 여러분을 위해 싸우신 분은 여호와 하나님이십니다. 여러분, 부디 좌우로 치우치지 말고 모세의 율법 책에 기록된 모든 것을 지키고 실행하십시오. 만약 하나님이 명령하신 언약에 불순종하면 하나님이 여러분을 향해 불같이 진노하실 것이며, 하나님이 주신 이 아름다운 땅에서 곧 죽게 될 것입니다."

여호수아는 이스라엘 백성에게 하나님이 과거에 그들을 위해 행하셨던 모든 일을 떠올려 주었어요. 하나님이 아브라함을 부르시고, 아들 이삭을 주신 일, 이삭에게 에서와 야곱이라는 두 아들을 주신 일 등 모든 일을 기억하게 했지요. 그는 야곱의 아들들이 이집트로 이사 간 일도 이야기했어요. 모세와 아론을 보내신 바로 그곳 말이지요.

또한 여호수아는 하나님이 이스라엘을 이집트에서 어떻게 구해 내셨는지, 이집트의 군사들이 뒤쫓아 오는 홍해를 어떻게 안전하게 건너게 하셨는지를 설명했어요. 여호수아는 그들이 많은 전쟁에서 이길 수 있었던 것은 하나님이 함께하셨기 때문이라는 사실을 기억하게 했어요. 하나님은 이스라엘 백성을 위해 많은 일을 행하셨어요!

여호수아는 사람들에게 선택하라고 했어요. "여러분, 하나님을 *경외하고, 성실하고 진실하게 섬기십시오. 여러분의 조상들이 강 건너 저편과 이집트에서 경배하던 신들을 던져 버리고 여호와를 섬기십시오. 그러나 만약 여러분의 마음에 여호와를 섬기는 일이 좋아 보이지 않거든 그때는 스스로 누구를 섬길 것인지 선택하십시오. 저와 저희 집은 여호와를 섬길 것입니다."

이스라엘 백성은 "우리는 결코 여호와를 버리고 다른 신들을 섬기지 않겠습니다! 우리는 하나님이 우리를 위해 행하신 일을 알고 하나님을 사랑합니다!"라고 대답했어요. 그러자 여호수아는 사람들에게 경고했어요. "만약 여러분이 여호와를 버리고 이방의 신들을 섬기면 하나님이 여러분에게 복을 주신 후에라도 돌이켜 재앙을 내리시고 여러분을 멸망시키실 것입니다." 그러자 이스라엘 백성은 "아닙니다! 우리가 여호와를 섬기겠습니다!"라고 말했어요.

그날 여호수아는 이스라엘 백성과 언약을 맺었어요. 여호수아는 이 모든 말씀을 하나님의 율법 책에 기록하고, 큰 돌을 가져다가 여호와의 성소 곁에 있는 상수리나무 아래에 세웠어요. 여호수아는 "이 돌이 여러분이 여호와를 섬기겠다는 증거가 될 것입니다. 하나님은 약속의 땅으로 여러분을 인도하겠다는 모든 약속을 지키셨습니다"라고 말한 뒤 이스라엘 백성을 각자 집으로 돌려보냈어요.

●● 가스펠 링크

여호수아는 자신의 죽음을 준비하며 하나님께 순종하라는 믿음의 유산을 남겼어요. 부활하신 예수님은 제자들과 우리에게 모든 민족을 제자로 삼고, 아버지와 아들과 성령의 이름으로 세례를 베풀고, 예수님이 명령하신 모든 것을 가르쳐 지키게 하라는 믿음의 사명을 남기셨어요(마 28:19~20).

*경외하다 : 공경하면서 두려워하다.

가스펠 **준비**

(10~20분)

환영

도착하는 아이들을 반갑게 맞이하고 헌금, 출석, QT 등을 확인하며 격려한다. 새 친구가 있다면 소개한다. 편안한 분위기에서 안부를 물으며 오늘의 말씀과 관련된 화제로 이야기를 나눈다. 아이들에게 격려받은 적이 있었는지 묻고 경험을 나누게 한다. 격려란 '용기나 의욕이 솟아나도록 북돋워 주는 일'이라고 설명해 준다. 자발적으로 대화에 참여하도록 이끈다.

예) "어떤 말을 듣고 나서 힘과 용기가 솟아났던 적이 있었나요?", "유언을 남기는 장면을 영화나 책 등에서 본 적이 있나요?" 등.

— 여러분에게 용기를 북돋워 주는 말은 무엇인가요? 혹시 격려가 필요한 친구가 있다면 뭐라고 이야기해 줄 수 있을까요? 오늘의 성경 이야기에서 우리는 이스라엘의 인도자 여호수아에 대한 이야기를 들을 거예요. 여호수아는 이스라엘 백성을 격려했어요.

마음 열기

다 기억할 수 있나요? *

① 아이들을 둥글게 앉힌 뒤 작년 생일을 떠올려 보고 기억에 남는 사건 한 가지씩을 돌아가면서 이야기하게 한다.

② 아이들에게 2년 전에 있었던 일을 기억해 보게 한다. 가능하다면 7살, 6살, 5살 때의 일도 기억하게 해 본다.

예) 여름성경학교, 성탄절, 부활절, 설교 말씀, 재미있게 웃었던 일, 하늘을 날 듯 기뻤던 일, 하나님이 함께하셨던 일 등.

— 과거의 일들을 기억해 보니 어떠했나요? 아이들의 대답을 기다린다. 전부 다 기억하는 것은 쉽지 않았지요? 왜 어떤 일들은 기억에 남고, 또 어떤 일들은 기억나지 않는 것일까요? 우리는 참 많은 일을 잊어버려요! 오늘의 성경 이야기에서 여호수아는 이스라엘 백성에게 하나님이 행하셨던 일들을 기억하게 했어요.

작별 빙고 *

준비물 A4 용지, 연필

① 아이들을 두 팀 이상으로 나눈 뒤 팀별로 A4 용지와 연필을 나누어 주고 3×3 빙고 칸을 그리라고 한다.

② 아이들에게 '작별의 말'에는 어떤 것들이 있는지 물어보고 빙고 칸을 각각 채우게 한다.

예) "안녕", "잘 가", "다음에 봐", "바이", "나중에 만나", "잘 있어", "내일 봐", "또 만나", "며칠 뒤에 보자" 등.

③ 아이들이 준비되면 빙고 게임을 시작한다.

④ 가로, 세로, 또는 대각선으로 세 줄을 먼저 지운 팀이 "빙고!"를 외치면 승리한다.

— 오늘의 성경 이야기는 여호수아가 이스라엘 백성에게 한 이야기예요. 여호수아가 그들에게 작별 인사를 한 날이기도 하지요. 여호수아는 이스라엘 백성에게 중요한 일들을 말해 주어서 자신이 죽은 후에도 그 사실을 기억할 수 있게 했어요.

가스펠 **설교**

(15~30분)

들어가기

준비물 성경, 이름표, 사파리 여행 복장(단색 티셔츠, 카키색 바지, 사파리 모자), 옆면에 '주의: 살아 있는 동물'이라고 쓴 상자

사파리 여행 복장을 하고 이름표를 달고 성경을 들고 들어온다. 옆면에 '주의 : 살아 있는 동물'이라고 쓴 상자 가까이에 가서 뚜껑 한쪽을 조심스럽게 열었다가 재빨리 닫는다.

와! 어떻게 이런 일이! 아이들에게 말을 건다. 안녕하세요, 여러분! 오늘 이 상자 안에는 엄청나게 큰 동물이 들어 있어요. 이 커다란 동물이 어떻게 이처럼 작은 상자에 들어갔는지 모르겠어요. 진짜 믿을 수가 없네요. 힌트를 줄 테니 어떤 동물인지 맞혀 보세요.

이 동물은 육지의 동물 중에서 가장 커요. 이 동물은 270kg을 들어 올릴 수 있고, 코는 1만 개 정도의 근육을 포함하고 있어요. 무슨 동물인지 아는 친구가 있나요? 아이들의 대답을 기다린다. 맞아요, 코끼리예요!

여러분, 혹시 이 사실을 알고 있나요? 어떻게 알아냈는지는 모르겠지만, 과학자들은 코끼리가 얼굴을 기억할 수 있다고 말해요. 몇 년 동안 만나지 못했던 코끼리의 얼굴도 기억한대요! 이 이야기를 들으니 오늘의 성경 이야기가 생각나네요. 오늘의 성경 이야기로 들어가기 전에 연대표를 함께 보아요.

연대표

죄 때문에 아이 성 전투에서 졌어요

여호수아가 당부했어요

사사들이 이스라엘 백성을 이끌었어요

드보라와 바락이 노래했어요

지난주에 우리는 **하나님이 아간의 죄를 벌하신 뒤 아이 성에서 이스라엘 백성을 위해 싸우신** 사건에 대해 배웠어요. 이스라엘 백성을 약속의 땅으로 이끈 인도자는 누구였나요? (여호수아) 맞아요, 모세는 이스라엘 백성이 약속의 땅에 들어가기 전에 죽었어요. 그래서 하나님은 여호수아를 통해 이스라엘 백성을 인도하셨어요. 이제 나이가 든 여호수아는 이스라엘 백성에게 당부했어요. 여호수아가 죽기 전에 무엇이라고 말했는지 함께 들어 보아요.

성경의 초점

1단원의 '성경의 초점' 질문을 기억하는 친구가 있나요? 아이들의 대답을 기다린다. 맞아요! **우리는 무엇을 믿어야 할까요? 우리는 하나님이 우리를 돌보신다는 것을 믿어요.** 하나님은 이스라엘 백성이 이집트를 떠나 긴 광야의 여정을 거쳐 약속의 땅으로 들어올 때까지 계속해서 이스라엘 백성을 돌보셨어요.

성경 이야기

DVD 여호수아 23~24장을 펴고, 설교 영상(지도자용 팩)을 보여 주거나 이야기 성경을 들려준다.

여호수아는 이스라엘 백성을 약속의 땅으로 인도했어요. 이제 여호수아는 나이가 들었어요. 그는 이스라엘 백성과 함께하고 계시는 하나님이 행하신 모든 놀라운 일을 그들이 기억하기를 원했어요. 그래서 여호수아는 그들에게 말씀을 전했어요.

여호수아는 자신의 죽음을 준비하며 하나님께 순종하라는 믿음의 유산을 남겼어요. 부활하신 예수님은 제자들과 우리에게 모든 민족을 제자로 삼고, 아버지와 아들과 성령의 이름으로 세례를 베풀고, 예수님이 명령하신 모든 것을 가르쳐 지키게 하라는 믿음의 사명을 남기셨어요(마 28:19~20).

복 / 습 / 질 / 문

다음 단어들을 화이트보드에 적는다.

'멸하리라', '제자', '나이가 들어서', '이집트', '지켜 행하라', '성령',

'섬기겠노라', '여호와'

여러분이 오늘의 성경 이야기를 얼마나 잘 들었는지 한번 확인해 볼게요. 빈칸에 들어갈 단어를 알면 손을 들어 주세요.

1 여호수아는 이제 __________ 이스라엘 백성에게 마지막으로 당부했어요.

나이가 들어서 (수 23:1)

2 여호수아는 "그러므로 너희는 크게 힘써 모세의 율법 책에 기록된 것을 다 __________"라고 말했어요.

지켜 행하라 (수 23:6)

3 여호수아는 하나님께 불순종하면 "너희가 마침내 너희의 하나님 여호와께서 너희에게 주신 이 아름다운 땅에서 __________"라고 말했어요.

멸하리라 (수 23:13)

4 여호수아는 이스라엘 백성에게 하나님이 그들을 __________에서 어떻게 인도해 내셨는지 기억하게 했어요.

이집트 (수 24:5)

5 여호수아는 "너희가 섬길 자를 오늘 택하라 오직 나와 내 집은 여호와를 __________"라고 말했어요.

섬기겠노라 (수 24:15)

6 이스라엘 백성은 "우리도 __________를 섬기겠나이다"라고 대답했어요.

여호와 (수 24:18, 21, 24)

7 여호수아는 순종하라고 당부했어요. 예수님은 죽으시고 부활하신 후 "너희는 가서 모든 민족을 __________로 삼아 아버지와 아들과 __________의 이름으로 세례를 베풀고 내가 너희에게 분부한 모든 것을 가르쳐 지키게 하라"라고 명령하셨어요.

제자, 성령 (마 28:19~20)

복음 초청

성경과 29쪽 복음 초청 가이드를 이용해서 아이들에게 그리스도인이 되는 법을 설명해 준다. 따로 상담해 줄 사람을 정해 주고 궁금한 점이 있으면 물어보도록 격려한다.

이 시간 예수님을 마음에 모시고 싶은 친구는 함께 기도해요.

기도

사랑하는 하나님, 우리에게 성경을 주셔서 하나님이 하신 놀라운 일들을 기억하게 하시니 감사합니다. 우리는 하나님이 우리를 돌보아 주신다는 것을 알고 있어요. 우리가 하나님을 신뢰할 수 있도록 도와주세요. 사랑합니다. 하나님, 주님만 찬양합니다. 예수님의 이름으로 기도합니다. 아멘.

적용

TIP 설교 도입이나 적용으로 활용하거나 영상을 본 뒤 소그룹에서 풍성한 대화를 이어 갈 수 있습니다.

오늘의 성경 이야기에서 여호수아는 이스라엘 백성에게 선택하라고 말했어요. 이스라엘 백성은 우상을 섬기는 잘못된 선택을 하든지, 유일한 진짜 신이신 하나님을 섬기는 올바른 선택을 할 수 있었어요. 여호수아는 둘 다 선택할 수는 없다고 말했어요. 다음 영상을 보면서 함께 생각해 보아요.

DVD 적용 예화 영상(지도자용 팩)을 보여 준다.

무슨 일이 일어났나요? 새뮤얼은 소시지 수프와 딸기 젤리 사이에서 선택하지 못하고 두 개를 섞어서 함께 먹었어요. 어떻게 되었나요? 진짜 이상했지요! 하나님은 이스라엘 백성이 하나님을 섬기는 동시에 우상을 섬기는 것을 원하지 않으셨어요. 하나님만 찬양받기 합당한 분이시기 때문이에요!

아이들에게 하나님을 섬기는 것처럼 숭배하는 것이 무엇이 있는지 나누어 보게 한다. "어떤 것들이 있을까요?", "어떻게 하면 좋을까요?" 하고 물어본다.

가스펠 **소그룹**

(10~20분)

나침반

릴레이 암송 구절 외우기

준비물 1단원 암송(106쪽)

① 아이들을 3~4명씩 모아 여러 팀으로 나눈다.

② 1단원 암송을 구절로 끊어서 여러 번 큰소리로 읽는다.

예) 내가 네게 명령한 것이 아니냐 / 강하고 담대하라 / 두려워하지 말며 / 놀라지 말라 / 네가 어디로 가든지 / 네 하나님 여호와가 / 너와 함께하느니라 하시니라

③ 인도자가 한 팀을 가리키면 해당 아이들이 1단원 암송의 첫 구절을 시작하고, 다른 팀을 가리키면 해당 아이들이 둘째 구절을 외우게 한다. 팀의 수만큼 인도자가 가리키고 해당 아이들이 외우기를 반복한다.

TIP 팀마다 암송하는 속도가 다를 경우 인도자가 속도를 다양하게 조절한다.

— 우리가 릴레이로 암송한 1단원 암송 구절에서 하나님이 함께하실 것이라고 말한 이스라엘의 지도자는 누구인가요? (여호수아)

보물 지도

어느 편인지 선택하라

준비물 컬러 박스 테이프

① 컬러 박스 테이프로 예배실 바닥 중앙에 선을 길게 표시한다.

② 아이들을 선 위에 한 줄로 세운 후 왼쪽 영역은 '참'이고, 오른쪽 영역은 '거짓'이라고 말해 준다.

③ 인도자는 아이들에게 "지금부터 약속의 땅으로 향하는 이스라엘 백성의 여행에 대한 문장을 말해 줄 텐데 잘 듣고 참이라고 생각하면 '참' 영역으로 점프하고, 거짓이라고 생각하면 '거짓' 영역으로 점프하세요"라고 말해 준다.

④ 다음 문제를 내기 전에 아이들을 다시 선 위에 세운다.

TIP 정답을 맞히지 못한 아이들은 밖으로 나가게 해 서바이벌 게임으로 진행해도 좋다.

1 이스라엘 백성은 하나님이 그들을 약속의 땅으로 인도하실 것을 믿지 못했어요. 참 (민 13:31, 14:1~3)

2 10명의 정탐꾼들은 약속의 땅에 사는 사람들에 비하면 자신들은 메뚜기 같다고 말했어요. 참 (민 13:33)

3 이스라엘 백성은 광야에 에어컨이 없다고 불평했어요.
거짓, 물이 없다고 불평했다 (민 20:2~3)

4 하나님은 하나님의 백성에게 놋송아지를 바라보면 살 것이라고 말씀하셨어요.
거짓, 놋뱀(불뱀)을 바라보면 살 것이라고 말씀하셨다 (민 21:8)

5 하나님은 이스라엘 백성을 위해 싸우셨고, 그들을 이집트 땅으로 인도하셨어요.
거짓, 약속의 땅으로 인도하셨다 (수 1:1~6)

6 이스라엘 백성은 나일 강을 건너 약속의 땅으로 들어갔어요.
거짓, 요단 강을 건넜다 (수 3:14~17)

7 하나님은 아간의 죄를 벌하신 뒤 아이 성에서 이스라엘 백성을 위해 싸우셨어요. 참

8 아간은 여리고 성에서 아무것도 가져오지 않았다고 말했어요.
거짓, 아간은 잘못을 고백했다 (수 7:20~21)

9 여호수아는 이스라엘 백성에게 하나님만 섬기도록 당부했어요. 참

10 이스라엘 백성은 여호와 하나님만 섬기기로 약속했어요.
참 (수 24:18, 21, 24)

— 이스라엘 백성은 약속의 땅으로 들어가기 전에 광야에서 40년간 떠돌아다녔어요. 이스라엘 백성은 그 땅을 정복해야 했고, 하나님은 이스라엘 백성을 위해 싸우셨어요. 여호수아는 이스라엘 백성에게 유일한 진짜 신이신 하나님께만 신실하라고 당부했어요. 이러한 모든 경험은 이스라엘 백성에게 하나님은 신뢰할 만한 분이심을 알려 주었어요. **우리는 무엇을 믿어야 할까요? 우리는 하나님이 우리를 돌보신다는 것을 믿어요.**

탐험하기

이것을 기억하라

준비물 학생용 교재 20쪽, 연필

아이들에게 돌에 새겨진 암호를 해독해 문장을 완성해 보게 한다.

하 나 님 을

경 외 하 라

— 여호수아는 이스라엘 백성을 향한 마지막 당부를 했

어요. 그리고 모든 사람 앞에서 "오직 나와 내 집은 여호와를 섬기겠노라" 하고 선포했지요. 이스라엘 백성은 여호수아에게 무엇이라고 대답했을까요? 맞아요, 이스라엘 백성도 여호와를 섬기겠다고 약속했어요! 여호수아는 이스라엘 백성이 이 약속을 꼭 기억하기를 바랐어요!

그때, 그 순간

준비물 학생용 교재 21쪽, 연필

① 약속의 땅으로 가는 과정에서 일어난 일들을 순서에 맞게 찾아 번호를 적고 빈칸에 간단한 줄거리를 기록해 보게 한다.

② 각 사건마다 하나님이 이스라엘 백성과 어떻게 함께하셨는지 친구들과 나누어보는 시간을 갖는다.

— 하나님은 여호수아의 일생 동안 함께하셨어요. 그리고 여호수아를 통해 많은 일을 하셨어요. 나이가 많이 든 여호수아는 자신의 과거를 떠올리며 이스라엘 백성에게 마지막 당부를 했어요.

전달, 전달, 여호수아의 메시지 *

준비물 여호수아의 메시지를 적은 미션 카드, 배경음악

① 아이들을 3~4팀으로 나눈 뒤 팀별로 한 줄로 앉힌다.

② 각 팀의 맨 앞에 앉은 아이가 그 팀의 여호수아라고 말해 준다.

③ 인도자는 각 팀의 여호수아들을 불러 미션 카드의 메시지를 소리 없이 읽고 제자리에 앉게 한다.

미션 카드 메시지의 예) "오직 나와 내 집은 여호와를 섬기겠노라", "우리 하나님은 선하시고 신실하시다", "모세의 율법 책에 기록된 것을 다 지켜 행하라" 등.

④ 인도자의 "시작" 소리와 함께 여호수아들에게 귓속말로 두 번째 친구에게 메시지를 전하라고 한다. 이때 귓속말이 들리지 않을 정도로 배경음악을 틀어도 좋다.

⑤ 마지막 친구에게 메시지가 전달되면 앞으로 뛰어나와 여호수아의 메시지를 틀리지 않고 전달하라고 일러 준다. 가장 먼저 메시지를 정확하게 전달한 팀이 승리한다.

— 여호수아는 이스라엘 백성에게 하나님께 순종하라는 믿음의 유산을 남겼어요. 부활하신 예수님은 제자들과 우리에게 믿음의 사명을 남기셨어요(마 28:19~20).

보물 상자

나만의 기록장

준비물 학생용 교재 22쪽, 연필

① TV에서 연설을 한다고 상상한 후 무슨 말을 하고 싶은지 요점을 적어 보게 한다.

② 사람들이 알아야 하고 기억해야 하는 가장 중요한 사실은 무엇인지에 대해 나누어 본다.

메시지 카드

이번 주 메시지 카드로 부모님과 함께 오늘 배운 성경 이야기를 나누어 보라고 한다.

기도

이스라엘 백성을 약속의 땅으로 인도해 주시고 여호수아와 함께하신 하나님, 하나님만을 찬양하고 섬기기를 원합니다. 우리는 하나님만을 기뻐하고 예배하고 싶어요. 더 많은 사람과 함께 하나님을 기뻐하고 예배하기를 원합니다. 우리가 다른 사람들에게 하나님을 자랑스럽게 소개할 수 있도록 우리와 함께하시고 도와주세요. 예수님의 이름으로 기도합니다. 아멘.

2 단원
다스리시는 하나님

하나님의 백성이 계속해서 죄의 악순환을 반복했기 때문에 하나님은 사사들을 세우셔서 그들을 하나님께로 되돌리셨습니다. 사사들이 살아 있는 동안에 하나님은 사사들을 통해 하나님의 백성을 대적들로부터 구해 주셨습니다. 하지만 사사가 죽고 나면 이스라엘 백성은 다시 죄에 빠져들었고, 고통 속에서 또 다른 사사를 통한 구원을 갈구했습니다.

사사들이
이스라엘 백성을
이끌었어요

드보라와 바락이
노래했어요

겁쟁이 기드온이
용사가
되었어요

The Gospel Project

하나님이 사무엘에게
말씀하셨어요

삼손에게
다시
힘을 주셨어요

룻과 나오미를
보살펴 주셨어요

카운트다운 – 어지러운 세상

카운트다운 영상(지도자용 팩)을 틀고 예배 준비 자세를 취하도록 격려한다. 예배가 시작되는 시간에 영상이 끝나도록 맞추어 놓는다. 영상이 끝나기 30초 전에 예배 인도자는 정 위치에 서서 조용히 기도하는 모범을 보인다.

무대 배경 – 패밀리 레스토랑

패밀리 레스토랑처럼 장식하고 예배실 앞에 테이블 두 개와 의자 몇 개를 놓아 둔다. 화이트보드에 메뉴와 오늘의 스페셜 메뉴를 써 둔다. 테이블 위에 접시나 숟가락 등을 놓아 꾸며도 좋다. 화면에 패밀리 레스토랑 배경 이미지(지도자용 팩)를 띄운다.

6

사사들이 이스라엘 백성을 이끌었어요

삿 3:7~31

단원 암송

대저 여호와는 우리 재판장이시요
여호와는 우리에게 율법을 세우신 이요
여호와는 우리의 왕이시니 그가 우리를
구원하실 것임이라(사 33:22).

성경의 초점

하나님은 어떻게 하나님의 계획을 이루시나요?
하나님은 사람들을 통해 하나님의 계획을
이루세요. 하나님의 계획은 하나님의 영광을
드러내고 사람들에게는 유익해요.

본문 속으로

여호수아가 죽고 난 후 이스라엘에는 지도자가 없었습니다. 사람들은 각각의 사사가 통치할 때마다 죄악의 악순환 속으로 반복해 빠져들어 갔습니다. 그 악순환은 'A(죄)-B(고통:속박)-C(회개:부르짖음)-D(구원:사사)-E(평화)' 패턴으로 반복되었습니다. 그 패턴을 이해할 수 있도록 첫 번째 사사 옷니엘에 대해 살펴보겠습니다(삿 3:7~11).

첫 번째(A), 이스라엘 백성은 하나님께 등을 돌리고 다른 신들을 섬겼습니다. 두 번째(B), 그들은 속박당하며 고생하게 되었는데, 하나님이 이스라엘에게 진노하심으로 그들을 아람 왕의 손에 파셨기 때문입니다. 세 번째(C), 고통스러웠던 이스라엘 백성은 하나님께 부르짖었습니다. 네 번째(D), 하나님은 그들을 구원하기 위해 구원자 옷니엘을 사사로 보내셨습니다. 다섯 번째(E), 이스라엘 백성은 그 땅에서 40년간 평온히 거하게 되었고, 후에 옷니엘은 죽음을 맞이했습니다.

이러한 패턴은 두 번째 사사 에훗 때에도 계속되었습니다. 이스라엘 백성은 다시 하나님께 등을 돌렸고, 그들의 배교로 진노하신 하나님은 모압 왕을 강하게 만드셔서 이스라엘을 이기고 속박하게 하셨습니다. 이스라엘 백성은 18년 동안 모압 왕을 섬겨야 했습니다. 모압 사람들, 특히 그들의 왕은 늘 풍족하게 먹곤 했습니다. 그들은 이스라엘 백성이 굶을 때에도 그들이 열심히 일해 상납한 과일들을 배불리 먹었습니다.

사사 에훗은 좌우에 날 선 칼을 숨긴 채 조용히 왕을 독대하는 가운데 왕의 배를 찔러 죽인 후 빠져나왔습니다. 기름이 칼날에 엉겼기 때문에 에훗은 칼을 빼낼 수가 없었습니다. 이후 이스라엘은 모압 족속을 물리쳤고, 그 땅은 80년 동안 평온했습니다. 그러나 에훗이 죽자 이스라엘 백성에게는 그들을 인도할 또 다른 사사가 필요했습니다.

이스라엘 백성은 사사보다 더 나은 존재를 필요로 했습니다. 그들에게는 자신들이 지은 죄의 결과뿐 아니라 죄 자체로부터 그들을 구원해 줄 왕이 필요했습니다. 이 모든 것이 하나님의 계획의 일부였습니다. 하나님은 구원자를 보내셨습니다. 하나님의 아들이신 예수님은 우리의 죄를 위해 죽으셨고, 죄와 죽음의 권세로부터 우리를 완전히 구원하셨습니다.

티칭 포인트

아이들에게 이스라엘 백성이 하나님께 저지른 죄가 무엇인지 정확하게 알려 주십시오. 십계명 중 제1계명이 말하듯, 하나님은 우상 숭배를 가장 싫어하십니다. 그들은 약속의 땅에서 살면서 하나님을 잊어버렸고 우상을 숭배함으로 하나님을 배신했습니다. 사사 시대에 그들은 끊임없이 죄악과 회복의 악순환을 반복했습니다. 우리도 죄를 짓고 회개하는 일을 반복합니다. 우리에게 죄의 문제를 완전히 해결해 줄 구원자가 필요하다는 것을 아이들에게 가르쳐 주십시오.

주 제

하나님의 백성이 하나님께 등을 돌리고 우상을 섬겼어요.

가스펠 링크

사사들은 이스라엘 백성을 죄로 인해 겪는 고통에서 구했지만, 예수님은 하나님의 백성을 죄에서 완전히 구원하세요.

사사들이 이스라엘 백성을 이끌었어요 삿 3:7~31

여호수아가 죽자 이스라엘 백성은 하나님께 불순종하고 이방 신들을 섬겼어요. 그들은 하나님만 유일한 진짜 신이시라는 사실을 잊어버렸어요. 하나님은 이스라엘의 대적인 아람이 이스라엘을 정복하게 하셨어요. 이스라엘은 아람을 8년 동안 섬겼어요.

고통스러웠던 이스라엘 백성은 하나님을 사랑하고 하나님께 순종했던 때를 떠올렸어요. 그들은 하나님께 구원해 달라고 부르짖었어요. 하나님은 이스라엘 백성이 하나님을 사랑하고 하나님께 순종하기 원하셨어요. 그래서 옷니엘을 첫 번째 사사로 세우셨어요. 옷니엘은 대적과 싸웠고, 하나님은 이스라엘에게 승리를 주셨어요. 그 땅은 40년 동안 평온했어요.

그러나 옷니엘이 죽자 이스라엘 백성은 다시 하나님을 잊어버렸어요. 하나님은 모압을 보내셔서 이스라엘이 전쟁에서 패배하게 하셨어요. 이스라엘 백성은 모압 왕 에글론을 18년 동안 섬겼어요. 고통에 빠진 이스라엘 백성은 하나님을 사랑하고 하나님께 순종했던 때를 떠올렸어요. 그들은 하나님께 구원해 달라고 부르짖었어요. 그래서 하나님은 에훗을 사사로 세워 그들을 구원하셨어요.

이스라엘 백성은 모압 왕 에글론에게 바칠 선물을 에훗을 통해 보냈어요. 에훗은 양쪽에 날이 달린 짧은 칼을 만들어 자기 옷 속 오른쪽 허벅지에 숨기고는 모압 왕을 만나러 갔어요. 모압 왕은 매우 뚱뚱한 사람이었어요. 에훗은 선물을 바친 후에 혼자 돌아와 모압 왕에게 비밀스럽게 드릴 말씀이 있다고 말했어요. 왕은 사람들을 내보내고 시원한 다락방에서 홀로 앉아 에훗을 맞이했어요. 에훗이 "제가 왕께 드릴 하나님의 말씀을 갖고 왔습니다"라고 말하자 왕이 일어섰어요. 그때 에훗은 왼손으로 칼을 뽑아 왕의 배를 찔렀어요. 어찌나 뚱뚱했던지 칼이 지방에 엉겨 붙어 빠지지 않았답니다!

에훗은 다락방의 문들을 잠그고 신하들이 들어오기 전에 몰래 빠져나갔어요. 신하들은 다락문들이 잠긴 것을 보고 '왕이 시원한 다락방에서 용변을 보고 계시나 보다' 하고 생각했어요. 그런데 오래 기다려도 왕이 나오지 않자 걱정이 되어 문을 열었더니 왕이 땅에 엎드러져 죽어 있었어요!

도망친 에훗은 나팔을 불었고, 이스라엘의 지도자가 되어 "나를 따르십시오! 여호와께서 우리의 원수 모압을 우리의 손에 넘겨주셨습니다!" 하고 외쳤어요. 이스라엘 백성은 모압과 싸워 이겼어요. 그리고 그 땅은 80년 동안 평온했어요.

에훗이 죽은 후 하나님은 세 번째로 삼갈을 이스라엘의 사사로 세우셨어요. 그는 소 모는 막대기로 블레셋 사람 600명을 죽게 했고, 이스라엘을 구원했어요.

가스펠 링크

사사들은 죄로 인해 고통을 겪는 이스라엘 백성을 구했어요. 그렇지만 죄의 근본 원인으로부터 구원할 수는 없었어요. 하나님의 계획은 언젠가 진정한 구원자이신 아들 예수님을 보내셔서 하나님의 백성의 왕이 되게 하시는 것이었어요. 예수님은 하나님의 백성을 죄에서 영원히 구원하세요.

가스펠 준비
(10~20분)

환영

도착하는 아이들을 반갑게 맞이하고 헌금, 출석, QT 등을 확인하며 격려한다. 새 친구가 있다면 소개한다. 편안한 분위기에서 안부를 물으며 오늘의 말씀과 관련된 화제로 이야기를 나눈다. 방문이나 화장실 문이 잠겨 있다면 어떤 생각을 하게 되는지 물어본다. 자발적으로 대화에 참여하도록 이끈다.

예) "화장실 문이 잠겨 있으면 어떤 짐작을 하게 되나요?", "혹시 방이나 옷장에 들어가 문을 잠그고 없는 척해 본 적이 있나요?" 등.

— 오늘의 성경 이야기에는 왕의 신하들이 왕의 방문 앞에서 한참을 기다린 이야기가 나와요. 왜 그러했는지 잘 들어 보세요.

마음 열기

비밀 메시지를 공개해 주세요! *

① 아이들을 둥글게 앉힌다.

② 인도자가 아이들 중 한 명의 귀에 대고 비밀 메시지를 속삭인다.

예) "왕이 오시니까 7시 15분에 저녁 식사로 불고기를 준비해야 해", "이스라엘에 에훗이라는 사사가 있었는데 그는 칼을 숨겼어" 등.

③ 인도자가 비밀 메시지를 들은 아이는 옆 친구의 귀에 대고 같은 비밀 메시지를 전달하면 된다고 말해 준다.

④ 모든 아이에게 비밀 메시지가 전달될 때까지 계속 진행한다.

⑤ "비밀 메시지를 공개해 주세요!"라고 요청할 때 한목소리로 답해야 한다고 말한다.

⑥ 아이들의 답을 들은 후 정확한 비밀 메시지를 공개한다.

— 오늘의 성경 이야기에는 이스라엘의 사사 에훗이라는 사람이 나와요. 그는 이스라엘의 대적인 모압 왕에게 비밀 이야기를 하고 싶다고 말했어요. 이스라엘의 사사가 모압 왕에게 할 비밀 이야기란 무엇이었을까요? 무슨 일이 일어났는지 한번 살펴보아요.

나도 에훗처럼 왼손잡이야 *

준비물 연필, 종이

① 자원하는 아이 3~4명을 뽑아 예배실 앞쪽에 세운 뒤 연필과 종이를 각각 나누어 준다.

② 오늘 성경 이야기에 나오는 사사 에훗은 왼손잡이였다고 말해 준 뒤 왼손에 연필을 쥐고 지시하는 내용을 종이에 그린 후 친구들에게 보여 주게 한다.

예) 이름, 오늘 날짜, 동그라미, 나무 등.

TIP 왼손잡이인 아이가 있다면 오른손으로 연필을 쥐고 지시하는 내용을 종이에 그리게 한다.

③ 아이들의 노력에 대해 격려해 준다.

④ 자원하는 아이들이 있다면 도전할 수 있는 기회를 준다.

— 오늘의 성경 이야기에는 왼손잡이였던 이스라엘의 사사 에훗이 나와요. 혹시 여러분 중에 왼손잡이가 있다면 손을 한번 들어 보세요!

가스펠 **설교**

(15~30분)

들어가기

준비물 **패밀리 레스토랑 종업원 복장**(단색 셔츠, 카키색 바지, 야구 모자, 앞치마), **성경**

패밀리 레스토랑 종업원 복장을 하고 손에 성경을 들고 들어온다.

안녕하세요! 한 아이를 지목하며 말한다. 혹시 영주 씨인가요? 아니라고요? 오늘 새로운 아르바이트생이 오기로 했거든요. 저는 레스토랑에서 2년 정도 일했는데 주로 신입 직원을 관리하는 일을 하지요. 참 재미있어요. 영주 씨가 아직 도착하지 않은 것 같으니 잠시 여러분과 시간을 보내도록 할게요.

성경을 든다. 이 책이 무슨 책인지 아는 친구가 있다면 손을 들고 답해 보세요. 아이들의 대답을 기다린다. 맞아요! 성경이에요. 그런데 혹시 성경에 사사들의 이야기가 있다는 것을 알고 있나요? 사사가 어떤 사람인지는요? 사사란 가나안 땅에 들어가서 왕이 세워지기 전까지 이스라엘 백성을 지도했던 정치적, 군사적 지도자를 말한답니다.

연대표

여호수아가 당부했어요

사사들이 이스라엘 백성을 이끌었어요

드보라와 바락이 노래했어요

겁쟁이 기드온이 용사가 되었어요

여러분, 연대표에서 우리가 어디에 와 있는지 아는 친구가 있나요? 힌트를 줄게요. 구약 부분을 찾아보세요. 이스라엘 백성은 약속의 땅에 들어갔고, 모세와 여호수아는 죽었어요. 그리고… 잠깐만요! 만약 모세와 여호수아가 죽었다면 누가 이스라엘 백성을 인도하지요? 아, 오늘의 성경 이야기의 제목은 "사사들이 이스라엘 백성을 이끌었어요"군요! 오늘의 성경 이야기를 들어 보아요.

성경의 초점

하나님이 하나님의 계획을 이루어 가시는 방법은 항상 정말 놀라워요. 2단원의 '성경의 초점'을 함께 배워 보아요. **하나님은 어떻게 하나님의 계획을 이루시나요? 하나님은 사람들을 통해 하나님의 계획을 이루세요. 하나님의 계획은 하나님의 영광을 드러내고 사람들에게는 유익해요.** 다시 한 번 해요! **하나님은 어떻게 하나님의 계획을 이루시나요?** 아이들의 대답을 기다린다. **하나님은 사람들을 통해 하나님의 계획을 이루세요. 하나님의 계획은 하나님의 영광을 드러내고 사람들에게는 유익해요.**

성경 이야기

DVD 사사기 3장을 펴고, 설교 영상(지도자용 팩)을 보여 주거나 이야기 성경을 들려준다.

와! 이스라엘 백성의 상황은 매우 좋지 않았어요. 여호수아가 죽은 뒤에 어떤 일이 일어났나요? (이스라엘 백성은 하나님을 잊어버렸어요.) 맞아요! **하나님의 백성이 하나님께 등을 돌리고 우상을 섬겼어요.** 그래서 하나님은 대적들로 하여금 그들을 정복하게 하셨어요. 여러분은 대적들이 이스라엘 백성에게 잘 대해 주었을 것이라고 생각하나요? 절대 그렇지 않았어요! 이스라엘 백성은 고통스러웠답니다. 그들은 자신들이 하나님을 섬겼을 때 얼마나 행복했는지를 생각하고 하나님께 울부짖었어요. "하나님, 우리를 구해 주세요!" 그러자 하나님은 사사를 보내 이스라엘 백성을 인도하셨어요.

혹시 처음 세 명의 사사들 중 기억나는 이름이 있나요? 아이들의 대답을 기다린다. 맞아요, 첫 번째 사사는 옷니엘이었어요. 옷니엘이 죽은 후 무슨 일이 일어났나요? (이스라엘 백성은 하나님을 잊어버렸고, 하나님은 대적들이 이스라엘을 정복하게 하셨어요.) 이스라엘 백성이 하나님께 다시 부르짖자 하나님은 두 번째 사사를 세우셨어요. 두 번째 사사의 이름은 에훗이었어요. 에훗은 누구를 만나러 갔나요? (모압 왕) 에훗이 모압 왕을 만난 후 어떤 일이 일어났나요? (에훗이 왕을 죽였어요.) 에훗이 죽은 후 하나님은 세 번째 사사를 세우셨어요. 그의 이름은 삼갈이었어요.

하나님은 사사들을 세워 하나님의 백성을 대적들로부터 구하셨어요.

하나님은 어떻게 하나님의 계획을 이루시나요? 하나님은 사람들을 통해 하나님의 계획을 이루세요. 하나님의 계획은 하나님의 영광을 드러내고 사람들에게는 유익해요. 사사들은 죄로 인해 고통을 겪는 이스라엘 백성을 구했어요. 그렇지만 죄의 근본 원인으로부터 구원할 수는 없었어요. 하나님의 계획은 언젠가 진정한 구원자이신 아들 예수님을 보내서서 자기 백성의 왕이 되게 하시는 것이었어요. 예수님은 자기 백성을 죄에서 완전히 구원하세요.

찬양

다스리소서

여호와는 우리의 재판장
율법을 세우신 주
여호와는 우리의 왕이라
그가 우릴 구원하실 것이라

나의 마음과 뜻을 다하고
힘을 다하여
주님만 사랑하리

헛된 마음 모두 버리고
주만 경배하리
예수 나의 주
다스리소서.

DVD ※지도자용 팩 또는 가스펠 프로젝트 홈페이지(gospelproject.co.kr)에서 이용하세요.

복음 초청

성경과 29쪽 복음 초청 가이드를 이용해서 아이들에게 그리스도인이 되는 법을 설명해 준다. 따로 상담해 줄 사람을 정해 주고 궁금한 점이 있으면 물어보도록 격려한다.

이 시간 예수님을 마음에 모시고 싶은 친구는 함께 기도해요.

기도

하나님, 이스라엘 백성이 죄로 인해 고통받을 때마다 내버려 두지 않으시고 계속해서 사사들을 보내 구원해 주신 하나님의 사랑을 생각하니 매우 감격스럽습니다. 이스라엘 백성에게 사사들을 보내 주셨던 것처럼 하나님이신 예수님을 우리에게 보내 주셔서 우리를 죄로부터 영원히 구해 주셔서 감사합니다. 우리를 사랑해 주셔서 감사합니다. 예수님의 이름으로 기도합니다. 아멘.

적용

TIP 설교 도입이나 적용으로 활용하거나 영상을 본 뒤 소그룹에서 풍성한 대화를 이어 갈 수 있습니다.

여호수아는 죽기 전에 이스라엘 백성에게 하나님을 기억하라고 당부했어요. 하나님이 이스라엘 백성에게 지시하신 것들을 모두 지키라고 말했지요. 그리고 이스라엘 백성이 하나님을 잊어버리면 벌을 받게 될 것이라고 말했어요. 이스라엘 백성이 여호수아의 말을 들었을까요? 아니요! 그들은 하나님을 잊어버리고 말았답니다.

여러분은 경고를 들으면 잘 따르나요? 다음 영상을 함께 보아요.

DVD 적용 예화 영상(지도자용 팩)을 보여 준다.

프로스티는 경고를 무시하고 문제를 일으켰어요. 프로스티를 도와주어야 할까요? 아이들의 대답을 기다린다. 하나님이 이스라엘 백성을 왜 대적들로부터 구해 주셔야 하는지에 대해 이야기를 나누어 본다. 아이들에게 모든 사람은 죄를 지었고, 죄로 인해 하나님으로부터 분리되었다고 설명해 준다.

우리는 죄로부터 구원받아야 해요. 우리는 구원받을 자격이 있을까요? 없어요. 하나님은 우리가 죄를 지었기 때문에 우리를 벌하실 수 있어요. 하지만 우리를 사랑하시기에 예수님을 보내셔서 우리를 죄로부터 구원해 주셨답니다. 비록 우리에게 자격이 없지만 용서를 받은 것을 가리켜 '은혜'라고 해요.

나침반

지그재그 털실 암송

준비물 2단원 암송(107쪽), 털실 뭉치 또는 실 뭉치

"대저 여호와는 우리 재판장이시요 여호와는 우리에게 율법을 세우신 이요 여호와는 우리의 왕이시니 그가 우리를 구원하실 것임이라"(사 33:22).

① 아이들을 둥글게 앉힌 뒤 2단원 암송을 보여 주고 큰 소리로 함께 읽는다.

② 한 아이에게 털실 뭉치를 건네준다. 털실 뭉치를 받은 아이는 암송 구절의 한 단어씩을 말해야 한다는 게임의 규칙을 설명해 준다.

③ 첫 번째 아이는 암송 구절의 첫 단어를 말한 후 실 끝을 잡은 채 털실 뭉치를 다른 아이에게 전달한다.

④ 털실 뭉치를 받은 아이는 다음 단어를 말하고, 실을 잡은 채 또 다른 아이에게 털실 뭉치를 전달한다. 모든 아이가 실을 잡을 때까지 계속한다.

⑤ 2단원 암송을 다 같이 두세 번 크게 읽는다.

— 잘했어요! 이사야 33장 22절은 하나님에 대한 4가지 사실을 우리에게 말해 주어요. 4가지 사실이 무엇인지 아는 친구가 있나요? (하나님은 우리의 재판장이시고, 우리에게 율법을 세우신 분이시고, 우리의 왕이시고, 우리를 구원하시는 분이에요.)
사사는 절대적인 권위를 가진 사람은 아니었어요. 이 성경 구절이 설명하고 있는 것은 하나님이 우리를 다스리신다는 사실이에요. 하나님은 사사를 세우셔서 이스라엘 백성을 인도하셨지만 우리를 진짜로 인도하시는 분은 바로 하나님이세요. **하나님은 어떻게 하나님의 계획을 이루시나요? 하나님은 사람들을 통해 하나님의 계획을 이루세요. 하나님의 계획은 하나님의 영광을 드러내고 사람들에게는 유익해요.** 몇 주간 2단원 암송을 함께 외우도록 해요.

보물 지도

질문을 듣고 뛰어라

준비물 릴레이 퀴즈 카드(109쪽 또는 지도자용 팩), 가위, 셀로판테이프, 성경, 연필

① 릴레이 퀴즈 카드를 잘라 섞은 후 뒷면이 보이도록 뒤집어 벽에 붙인다.

② 아이들을 3~4팀으로 나눈다.

③ 인도자가 "출발!"이라고 말하면 각 팀의 첫 번째 선수가 뛰어가 릴레이 퀴즈 카드 한 장을 가져온다.

④ 카드에 쓰인 질문의 답을 팀원들과 함께 성경에서 찾아 적는다.

⑤ 답을 맞히면 다음 선수가 출발해서 또 다른 릴레이 퀴즈 카드 중 한 장을 골라 팀으로 돌아온다.

⑥ 벽에 붙인 카드가 다 사라질 때까지 게임을 계속한다.

⑦ 카드의 답을 가장 많이 맞힌 팀이 이긴다.

— **하나님의 백성이 하나님께 등을 돌리고 우상을 섬겼어요.** 그래서 하나님은 이스라엘의 대적들이 이스라엘을 정복하게 하셨어요. 이스라엘 백성이 하나님께 부르짖자 하나님은 사사를 보내 그들을 대적들의 손에서 구원하셨어요.

탐험하기

내 이름을 맞혀 봐!

준비물 학생용 교재 24쪽, 색연필, 연필

1	66	99	70	105	3	8	103	5	137	58
169	14	104	93	124	55	82	185	101	28	7
36	86	26	123	18	71	98	50	12	135	151
97	108	34	57	120	83	6	69	39	56	9
53	10	37	102	167	65	84	41	49	109	88
95	67	81	15	85	125	107	13	91	11	177
60	80	22	112	96	52	106	78	24	64	38
155	17	173	35	87	33	121	31	149	147	181
47	42	110	94	2	116	4	76	40	127	29
119	25	133	19	122	131	21	159	179	73	79
141	117	92	100	30	90	114	32	75	59	157
139	44	165	63	77	45	89	145	62	111	27
115	74	43	113	143	51	163	23	20	183	161
171	175	16	72	46	68	48	54	153	129	61

나는야
사사 에훗 !

① 다음 숫자 중에서 짝수만 색칠해 14명의 사사 중 누구의 이름이 숨어 있는지 찾아보게 한다.

② 성경 이야기를 떠올리며 말풍선에 알맞은 답을 써 넣게 한다.

— 하나님은 이스라엘 백성을 대적들로부터 구원하기 위해 사사들을 세우셨어요. 그중에서 첫 사사들은 옷니엘, 에훗, 삼갈이에요. **하나님은 사람들을 통해 하나님의 계획을 이루세요. 하나님의 계획은 하나님의 영광을 드러내고 사람들에게는 유익해요.**

알쏭달쏭 사사 퀴즈

준비물 학생용 교재 25쪽, 연필

성경에서 사사기 2장 6~10절, 3장 7~31절을 찾아 읽고, 사사들에 관한 알쏭달쏭 퀴즈를 풀어 보게 한다. 정답에 ○표 하게 한다.

1. 여호수아가 죽은 후 이스라엘 백성에게는 새로운 (땅 / 지도자)이(가) 가 필요했어요.
2. 하나님은 (옷니엘 / 삼손)을 첫 사사로 세우셨어요.
3. 사사들이 죽은 후 이스라엘 백성은 하나님을 (기억했어요 / 잊었어요).
4. 모압 왕은 매우 (날씬 / 뚱뚱)했어요.
5. 에훗이 모압 왕과 군대를 무찌른 뒤 이스라엘은 80년 동안 (전쟁을 했어요 / 평온했어요).
6. 에훗이 죽자 하나님은 (에글론 / 삼갈)을 새로운 사사로 세우셨어요.
7. 사사 시대에는 죄 ⇨ 고통 ⇨ (우상 / 회개) ⇨ 구원(사사) ⇨ 평화로 이어지는 악순환이 반복되었어요.
8. "대저 여호와는 우리 (변호사 / 재판장)이시요 여호와는 우리에게 (율법 / 계획)을 세우신 이요 여호와는 우리의 (영광 / 왕)이시니 그가 우리를 구원하실 것임이라"(사 33:22).

— 대적들에게 정복당한 이스라엘 백성은 그들을 구원해 줄 누군가가 필요했어요. 하나님이 이스라엘 백성을 대적들로부터 구원하기 위해 보내신 사람들이 바로 사사들이에요. 우리도 구원을 받아야 해요. 우리는 무엇으로부터 구원받아야 할까요? (죄와 죽음) 하나님이 죄와 죽음으로부터 우리를 구원하기 위해 보내 주신 분이 바로 독생자 예수님이세요(요 3:16).

자꾸 자꾸, 죄의 악순환 *

DVD 준비물 학생용 교재 53~56쪽 죄의 악순환 카드(또는 지도자용 팩), 가위, 성경

① 죄의 악순환 카드를 가위로 자른 후 섞어 놓고 순서대로 나열해 보게 한다. 필요에 따라 아이들을 3~4명씩 팀을 이루게 하고 한 세트의 카드만 흩어 놓은 뒤 진행해도 좋다.

② 이스라엘의 첫 세 명의 사사들, 즉 옷니엘, 에훗, 삼갈 당시 죄의 악순환을 이야기하며 각각 짚어 보게 한다.

③ 자원하는 아이에게 이스라엘 백성에게 일어난 죄의 악순환을 설명해 보게 한다.

④ 죄의 악순환을 순서대로 외워 보며 이런 어리석음에 빠지지 않도록 주의하자고 다짐한다.

— 여호수아가 죽은 뒤 **하나님의 백성이 하나님께 등을 돌리고 우상을 섬겼어요.** 하나님은 이스라엘의 대적들이 이스라엘을 정복하게 하셨어요. 이스라엘 백성은 그들을 대적들에게서 구원해 줄 누군가가 필요했어요. 그들은 하나님께 부르짖었고, 하나님은 사사를 보내 이스라엘 백성을 구원하셨어요. 그리고 그들에게 평화를 주셨지요.

하지만 사사가 죽고 나면 다시 죄를 짓는 죄의 악순환이 계속되었어요. 왜냐하면 사사들은 백성이 죄를 짓는 것을 막을 수 없었기 때문이에요. 죄를 짓지 않게 하는 능력은 오직 예수님께만 있어요. 우리를 다스리시는 하나님은 예수님을 통해 우리의 죄를 깨끗이 없애 주시고 반복되는 죄의 악순환을 끊어 버릴 수 있게 해 주세요.

보물 상자

나만의 기록장

준비물 학생용 교재 26쪽, 연필

하나님에 대해 기억하고 싶은 것들을 글로 표현해 보게 한다.

— 이스라엘 백성은 하나님을 잊었고, 하나님은 대적들을 보내 이스라엘을 정복하게 하셨어요. 우리는 하나님과 그분이 우리를 위해 행하신 일들을 기억해야 해요.

메시지 카드

이번 주 메시지 카드로 부모님과 함께 오늘 배운 성경 이야기를 나누어 보라고 한다.

기도

하나님, 하나님을 사랑하고 순종하는 일을 쉽게 잊어버리는 우리를 용서해 주세요. 하나님은 신실하시고 거룩하신 분입니다. 우리를 우리의 죄로부터 구원해 주셔서 감사합니다. 예수님의 이름으로 기도합니다. 아멘.

7

드보라와 바락이 노래했어요

삿 4~5장

단원 암송

대저 여호와는 우리 재판장이시요
여호와는 우리에게 율법을 세우신 이요
여호와는 우리의 왕이시니 그가 우리를
구원하실 것임이라(사 33:22).

성경의 초점

하나님은 어떻게 하나님의 계획을
이루시나요?
하나님은 사람들을 통해 하나님의 계획을
이루세요. 하나님의 계획은 하나님의
영광을 드러내고 사람들에게는 유익해요.

본문 속으로

에훗의 죽음 이후에도 사사들의 시대는 이어졌습니다. 이스라엘 백성은 계속해서 'A(죄)-B(고통:속박)-C(회개:부르짖음)-D(구원:사사)-E(평화)' 패턴을 반복했습니다. 이번에 이스라엘 백성은 가나안 왕에게 억압을 당했습니다. 이때는 드보라가 이스라엘의 사사였습니다. 드보라는 바락을 불러 격려하고 군대를 일으켜 가나안 군대와 그 지도자인 시스라를 물리치게 했습니다.

드보라는 바락에게 하나님이 시스라와 군대를 그의 손에 붙이시리라는 확신을 주었습니다(삿 4:6~7). 하지만 바락은 드보라가 함께 간다면 자기도 가겠노라고 말했습니다. 드보라는 자신이 함께 가겠지만 바락이 그 전투로 인해 영광을 얻지는 못할 것이라고 했습니다. 하나님은 한 여인을 들어서 시스라를 치실 계획을 갖고 계셨습니다.

바락이 1만 명의 군사들을 이끌고 다볼 산에서 내려갔을 때 "여호와께서 바락 앞에서 시스라와 그의 모든 병거와 그의 온 군대를 칼날로 혼란에 빠지게 하시매"(삿 4:15) 시스라의 온 군대가 다 칼에 엎드러졌고 한 사람도 남은 자가 없었습니다. 하지만 시스라는 죽지 않고 도망쳤습니다. 시스라는 걸어서 도망쳐 겐 사람 헤벨의 아내 야엘의 장막에 도착했습니다. 그녀는 시스라를 맞아들였고 마실 것을 주었습니다. 그리고 시스라가 잠든 사이 장막 말뚝을 그의 관자놀이에 박아서 죽였습니다.

사사기 5장은 드보라와 바락이 이날 하나님이 가나안 족속을 물리치신 것을 기뻐하며 부른 승리의 노래를 기록한 것입니다. 그 땅은 40년간 평온했습니다.

이스라엘은 그들의 죄로 인해 20년 동안 패배를 경험했습니다. 하나님은 이스라엘을 위해 싸우셨고, 드보라와 바락, 그리고 야엘을 사용하셔서 가나안과 싸워 승리를 얻게 해 주셨습니다.

티칭 포인트

아이들에게 기쁜 마음으로 하나님을 섬기며 하나님의 영광을 위해 자신들의 재능을 드린 드보라와 바락의 행동을 강조해서 말해 주십시오. 하나님은 하나님의 백성을 대적들로부터 구원하실 뿐 아니라 아들이신 예수 그리스도를 통해 우리의 구원을 이루시는 분이라는 사실을 알려 주십시오.

주 제

이스라엘 백성은 그들을 대적들로부터 구원해 줄 누군가가 필요했어요.

가스펠 링크

하나님은 하나님의 사람들을 부르시고 상황을 사용하셔서 우리를 원수들로부터 구원하시고, 예수 그리스도를 통해 완전한 구원을 이루세요.

드보라와 바락이 노래했어요 삿 4~5장

에훗과 삼갈은 이스라엘을 다스리던 사사였어요. 그들이 죽은 후 이스라엘 백성은 하나님을 또다시 잊어버렸어요. 그래서 하나님은 가나안 왕 야빈이 이스라엘을 정복하게 하셨어요. 가나안 군대장관의 이름은 시스라였어요. 야빈은 악한 지도자였고 이스라엘을 20년 동안 심하게 억압했어요. 고통스러웠던 이스라엘 백성은 하나님을 사랑하고 하나님께 순종했던 때를 떠올렸어요. 그들은 하나님께 구원해 달라고 부르짖었어요.

어느 날 이스라엘을 다스리던 사사 드보라가 바락에게 말했어요. "하나님의 명령을 전합니다. '너는 가서 납달리 자손과 스불론 자손 1만 명을 택해 이끌고 다볼 산으로 가거라. 내가 대적들을 네 손에 넘겨주겠다.'" 하지만 바락은 드보라가 함께 가지 않으면 그도 가지 않겠다고 했어요. 드보라는 바락과 함께 가겠다고 했어요. 그렇지만 이번 일에서 바락이 영광을 얻지는 못할 것이라고 말했지요. 하나님이 한 여인의 손에 시스라를 넘겨주실 것이기 때문이었어요.

드보라와 바락은 1만 명을 데리고 다볼 산으로 향했어요. 시스라는 바락이 다볼 산에 왔다는 소식을 듣고는 쇠로 만든 전차 900대와 자기와 함께 있던 모든 백성을 모아 전투를 준비했어요. 드보라는 바락에게 말했어요. "일어나십시오! 오늘이 여호와께서 시스라를 당신의 손에 주신 날입니다. 보십시오. 여호와께서 당신을 인도하십니다!" 이에 바락은 1만 명을 거느리고 다볼 산에서 내려가 시스라와 그의 군대에게로 향했어요. 하나님은 시스라의 전차와 군대를 온통 혼란에 빠지게 하셨어요. 바락은 전차와 군대를 추격했어요. 시스라의 군대는 모두 칼날에 쓰러졌고 단 한 사람도 살아남지 못했어요. 시스라만 간신히 살아남아 달아났지요!

시스라는 걸어서 도망을 가다가 야엘이라는 여인의 장막에 이르렀어요. 야엘의 남편과 시스라는 친구 사이였어요. 야엘은 시스라에게 말했어요. "어서 오십시오. 두려워하지 마십시오." 야엘은 물을 좀 달라는 시스라에게 우유를 주었고, 이불을 덮어 주었어요. 시스라는 야엘에게 누가 자기를 찾거든 없다고 말하라고 부탁하고는 너무 지쳐서 깊이 잠들었어요.

그런데 야엘은 시스라가 악한 사람이라는 것과 하나님의 적이라는 사실을 알고 있었어요. 시스라가 잠든 사이, 야엘은 장막 말뚝과 방망이를 들고 와서 시스라를 죽게 했어요. 바락이 시스라를 추격하고 있을 때 야엘이 나가서 그를 맞이하며 말했어요. "이리 오십시오. 당신이 찾는 사람을 보여 드리겠습니다." 바락이 야엘의 장막에 들어가 보니 시스라는 죽어 있었어요.

이날 하나님은 이스라엘 백성이 가나안과의 전쟁에서 이기게 하셨어요. 이스라엘 백성은 승리했어요! 드보라와 바락은 승리의 노래를 불렀어요. 그들은 가나안 족속을 물리치신 하나님을 기뻐하며 찬양했어요. 그 땅은 40년 동안 평온했어요.

●● 가스펠 링크

하나님은 하나님의 영광과 우리의 유익을 위해 일하세요(시 115:3; 롬 8:28). 하나님은 이스라엘을 위해 싸우셨으며, 드보라, 바락, 그리고 야엘을 통해 가나안을 물리치셨어요. 마찬가지로 하나님은 사람들과 사건을 통해 우리를 원수들로부터 구원하실 뿐만 아니라 아들이신 예수님을 통해 완전한 구원을 이루세요.

가스펠 준비
(10~20분)

환영

도착하는 아이들을 반갑게 맞이하고 헌금, 출석, QT 등을 확인하며 격려한다. 새 친구가 있다면 소개한다. 편안한 분위기에서 안부를 물으며 오늘의 말씀과 관련된 화제로 이야기를 나눈다. 무엇인가를 혼자 하기 무서웠던 적이 있었는지 나누어 본다. 자발적으로 대화에 참여하도록 이끈다.

예) "혼자서 어딘가에 가야 하는데 무서웠던 적이 있나요?", "혼자 하기 무서웠던 일은요?", "무서워하는 친구나 동생을 위해 함께 동행해 준 적이 있나요?" 등.

마음 열기

함께 갈래요! *

① 아이들을 둥글게 앉힌다.

② 인도자가 아이들 중 한 명의 이름을 넣어 "내가 모험을 떠난다면 나는 ○○○와 함께 갈 거야"라는 말로 게임을 시작한다.

③ 인도자가 지목한 아이가 같은 방식으로 친구의 이름을 넣어 이야기한다. 이때 한 명의 이름을 더해야 한다고 말해 준다.

예) · 둘째 아이 : "내가 모험을 떠난다면 나는 ○○○와 △△△와 함께 갈 거야!"
· 셋째 아이 : "내가 모험을 떠난다면 나는 ○○○와 △△△와 ☆☆☆와 함께 갈 거야!"

④ 모든 아이가 이야기할 때까지 게임을 계속한다.

— 선생님은 겁이 많아서 모험을 떠난다면 친구들과 함께 갈 거예요! 오늘의 성경 이야기는 두려워서 누군가와 함께 가지 않으면 전쟁하러 가지 않겠다고 말했던 한 사람의 이야기랍니다.

사사가 되어 보자! *

준비물 종이, 사인펜, 셀로판테이프

① 예배실 양쪽 벽에 각각 'O'와 'X'를 적은 종이를 붙여 놓는다.

② 아이들을 예배실 가운데 세운 뒤 인도자가 말해 주는 문장을 듣고 자기 의견에 해당하는 곳에 가서 서게 한다.

예) 1. 아이들은 집안일을 할 때마다 용돈을 받아야 한다.
2. 아이들은 매일 30분씩 걸어야 한다.
3. 시험 볼 때 친구의 답지를 보고 쓰다가 걸리면 그 학년을 다시 다녀야 한다.

③ 매우 옳다고 생각하면 'O' 표시에 바짝 붙어 서고, 조금 옳다고 생각하면 'O' 표시에서 조금 떨어져 서도 된다고 말해 준다. 반대의 경우도 마찬가지다.

— 어떤 것이 옳고, 어떤 것이 잘못인지 결정하기가 쉬웠나요? 오늘 우리는 이스라엘을 다스렸던 사사에 대해 배울 거예요. 그 사사의 이름은 드보라예요.

가스펠 **설교**

(15~30분)

들어가기

준비물 **패밀리 레스토랑 종업원 복장**(단색 셔츠, 카키색 바지, 야구 모자, 앞치마), **성경**

패밀리 레스토랑 종업원 복장을 하고 손에 성경을 들고 들어온다.

다시 만나서 반가워요! 오늘은 레스토랑을 도와줄 두 명의 친구들이 오기로 했어요! 잠시 후에 오기로 했는데요, 두 사람의 이름은 윤경 씨와 예지 씨예요. 둘 다 여자 친구들인데, 레스토랑에 관심을 갖고 있어요. 그리고 자기 레스토랑을 열기 위한 몇 가지 계획도 갖고 있대요. 만약 여러분이 레스토랑을 열게 된다면 어떤 음식을 팔고 싶나요? 아이들의 대답을 기다린다. 흥미로운 메뉴들이군요!

성경을 편다. 자, 여러분, 다시 이스라엘의 사사 시대로 돌아갈 준비가 되었나요? 하나님이 성경을 주셔서 우리가 하나님에 대해 알도록 하셨다는 사실이 놀랍지 않나요? 하나님이 과거에 행하셨던 일들을 통해서 우리는 하나님이 어떤 분이신지 알게 되고, 앞으로 우리와 함께하실 하나님에 대해 신뢰할 수 있어요. 여러분과 함께 나누게 되어 기뻐요!

연대표

여호수아가 당부했어요

사사들이 이스라엘 백성을 이끌었어요

드보라와 바락이 노래했어요

겁쟁이 기드온이 용사가 되었어요

이스라엘의 첫 사사들이 누구였는지 기억하고 있나요? (옷니엘, 에훗, 삼갈) 모세와 여호수아가 죽은 후 이스라엘 백성은 하나님을 떠나 이방 신들을 섬겼어요. 그래서 하나님은 이스라엘 백성을 위해 사사를 세우셨지요. 드보라라는 여인도 사사가 되었어요. 오늘은 사사 드보라에 대해 배울 거예요.

성경의 초점

오늘의 성경 이야기를 듣기 전에 2단원의 '성경의 초점'을 함께 이야기해 보아요. **하나님은 어떻게 하나님의 계획을 이루시나요? 하나님은 사람들을 통해 하나님의 계획을 이루세요. 하나님의 계획은 하나님의 영광을 드러내고 사람들에게는 유익해요.** 오늘 드보라와 바락의 이야기를 들으면서 하나님이 하나님의 영광을 드러내기 위해 사람들을 어떻게 사용하셨는지 생각해 보세요.

성경 이야기

DVD 사사기 4~5장을 펴고, 설교 영상(지도자용 팩)을 보여 주거나 이야기 성경을 들려준다.

여호수아가 죽은 후 **이스라엘 백성은 하나님께 등을 돌리고 우상을 섬겼어요.** 하나님은 이스라엘의 대적들이 이스라엘을 정복하게 하셨어요. 고통스러웠던 이스라엘 백성은 하나님께 부르짖었어요. 그래서 하나님은 이스라엘 백성을 위해 사사를 세우셨어요. 첫 사사들은 옷니엘, 에훗, 그리고 삼갈이에요. 하지만 사사가 죽으면 이스라엘 백성은 하나님을 잊어버리고 우상을 섬기는 일을 반복했어요. 그때마다 하나님은 대적들이 이스라엘을 정복하게 하셨어요.

오늘의 성경 이야기에서 이스라엘 백성은 가나안 군대를 이겼어요. 그런데 시스라는 도망치고 말았어요! 그가 어디에 숨었을까요? (야엘의 장막) 시스라는 아마도 야엘의 장막에 있으면 안전하다고 느꼈을지 몰라요. 그렇지만 시스라가 자는 동안 야엘이 시스라를 죽게 했어요! 이후 이스라엘은 다시 평온해졌어요.

하나님은 사사 드보라와 바락, 야엘을 사용하셔서 이스라엘 백성이 전쟁에서 이기게 하셨어요. **하나님은 어떻게 하나님의 계획을 이루시나요? 하나님은 사람들을 통해 하나님의 계획을 이루세요. 하나님의 계획은 하나님의 영광을 드러내고 사람들에게는 유익해요.** 하나님의 계획은 이스라엘 백성을 대적으로부터 구원하시는 데 그치지 않았어요. 하나님은 우리를 죄로부터 구원하셨어요. 하나님은 우리를 위한 계획을 갖고 계셨어요. 그것은 바로 독생자 예수님을 통한 구원이랍니다.

복 / 습 / 질 / 문

다음 질문을 듣고 참인지, 거짓인지 맞혀 보세요.

1 바락은 이스라엘의 네 번째 사사예요.

거짓, 드보라 (삿 4:4)

2 바락은 드보라가 함께 가지 않으면 자신도 전쟁하러 가지 않겠다고 말했어요.

참 (삿 4:8)

3 시스라는 병거를 타고 도망갔어요.

거짓, 시스라는 걸어서 도망했다 (삿 4:17)

4 야엘은 시스라를 장막에 숨겼어요.

참 (삿 4:18)

5 이스라엘 백성은 가나안을 물리친 바락을 찬양했어요.

거짓, 이스라엘 백성은 하나님을 찬양했다 (삿 5장)

6 하나님은 어떻게 하나님의 계획을 이루시나요?

하나님은 사람들을 통해 하나님의 계획을 이루세요. 하나님의 계획은 하나님의 영광을 드러내고 사람들에게는 유익해요.

복음 초청

성경과 29쪽 복음 초청 가이드를 이용해서 아이들에게 그리스도인이 되는 법을 설명해 준다. 따로 상담해 줄 사람을 정해 주고 궁금한 점이 있으면 물어보도록 격려한다.

이 시간 예수님을 마음에 모시고 싶은 친구는 함께 기도해요.

기도

사랑과 자비의 하나님, 우리가 신실하지 못할 때도 항상 신실하신 하나님을 찬양합니다. 또 진정한 구원자이신 예수님을 보내셔서 우리를 죄에서 구원하신 하나님께 감사드립니다. 우리를 자유롭게 하신 하나님의 사랑으로 가족과 친구들에게 예수님을 전해 다 함께 신실하신 하나님을 찬양할 수 있도록 성령님 도와주세요. 예수님의 이름으로 기도합니다. 아멘.

적용

TIP 설교 도입이나 적용으로 활용하거나 영상을 본 뒤 소그룹에서 풍성한 대화를 이어 갈 수 있습니다.

DVD 적용 예화 영상(지도자용 팩)을 보여 준다.

구약에서 이스라엘 백성이 우상을 섬기는 이야기를 들을 때마다 우리는 분명히 그것이 잘못된 선택이라는 것을 알 수 있어요. 그런데 우리는 항상 무엇이 옳은 선택이고, 잘못된 선택인지 알 수 있을까요? 다음 영상을 함께 보아요.

여러분은 새뮤얼이 그림만 보고 실제 친구와 게임하는 것을 거절한 것이 옳은 선택이라고 생각하나요? 아이들의 대답을 기다린다. 우리는 구약성경을 읽으면서 우상을 섬긴 이스라엘 백성이 어리석다고 생각하기 쉬워요. 그렇지만 우리는 조심해야 해요. 우리도 그렇게 될 수 있거든요! 물론 우리는 나무, 돌, 금속으로 만든 신상에 절하는 것은 아니지만 다른 것들을 섬길 수 있어요. 꼭 기억하세요. 하나님만 유일한 진짜 신이시고 예배받기 합당한 분이세요.

아이들과 함께 하나님 대신에 섬길 수 있는 것들에 대해 이야기를 나누어 본다. 아이들이 가장 시간을 많이 보내는 일은 무엇인지, 가장 많이 생각하는 것은 어떤 것인지, 가장 행복하게 느끼는 일은 무엇인지, 가장 하고 싶은 일은 무엇인지 생각해 보게 한다.

나침반

음악이 멈추면 암송!

준비물 2단원 암송(107쪽), 공, '다스리소서' 찬양(지도자용 팩)

① 아이들에게 2단원 암송을 보여 주고 크게 두세 번 읽게 한다.

② 아이들을 둥글게 앉힌 뒤 한 아이에게 공을 건네준다. 찬양 박자에 맞추어 공을 옆 친구에게 전달하라고 한다.

③ 공을 전달하다가 갑자기 음악이 멈추면 공을 가진 아이가 암송 구절을 말해야 한다는 규칙을 말해 준다.

④ 암송하지 못하면 탈락이므로 원 밖으로 보낸다.

— 이사야 33장 22절은 하나님에 대한 4가지 사실을 우리에게 말해 주어요. 4가지 사실은 하나님이 우리의 재판장이시고, 우리에게 율법을 세우신 분이시고, 우리의 왕이시고, 우리를 구원하시는 분이라는 거예요. 지난주에 우리는 우리의 진정한 사사는 바로 하나님이시라고 배웠어요. 구약에서 이스라엘 백성이 하나님의 법인 율법을 받았던 일을 기억하나요? 아이들의 대답을 기다린다. 모세는 십계명과 함께 여러 가지 율법들을 우리에게 알려 주었어요. 그런데 이 법은 모세가 만들었을까요? 아니에요. 율법을 모세에게 주신 분은 하나님이세요. 하나님이 모세를 통해 말씀하신 것이지요. **하나님은 어떻게 하나님의 계획을 이루시나요? 하나님은 사람들을 통해 하나님의 계획을 이루세요. 하나님의 계획은 하나님의 영광을 드러내고 사람들에게는 유익해요.**

보물 지도

내가 골든 벨의 주인공!

준비물 종이, 연필, 성경

① 아이들을 3~4팀으로 나누고 팀별로 종이와 연필, 성경을 나누어 준다.

② 인도자가 질문하면 성경에서 사사기 3~4장을 펴고 답을 찾아 종이에 적게 한다.

③ 인도자가 "정답을 들어 주세요!"라고 말하면 팀별 대표자가 답을 적은 종이를 머리 위로 들어 올리라고 한다. 맞는 답에 점수를 준다.

1 이스라엘을 다스린 첫 세 명의 사사들의 이름을 적어 보세요.
옷니엘, 에훗, 삼갈 (삿 3:7~31)

2 삼갈이 죽고 나서 이스라엘을 정복한 나라는 어디인가요?
가나안 (삿 4:2)

3 가나안의 군대장관은 누구였나요? 시스라 (삿 4:2)

4 가나안 왕 야빈은 이스라엘을 얼마 동안 통치했나요? 20년 (삿 4:3)

5 당시 이스라엘을 다스리던 사사는 누구인가요? 드보라 (삿 4:4)

6 하나님이 가나안과의 전쟁을 위해 부르신 이스라엘의 지도자는 누구인가요? 바락 (삿 4:6)

7 시스라가 전쟁에 가지고 나간 철 병거는 모두 몇 대였나요?
900대 (삿 4:13)

8 시스라는 누구의 장막으로 피했나요? 야엘 (삿 4:17)

9 시스라를 죽인 사람은 누구인가요? 야엘 (삿 4:21)

10 시스라는 죽는 순간에 무엇을 하고 있었나요?
자고 있었다 (삿 4:21)

11 모든 일을 하나님의 영광과 우리의 유익을 위해 사용하시는 분은 누구이신가요? 하나님 (시 115:3; 롬 8:28)

12 하나님은 어떻게 하나님의 계획을 이루시나요?
하나님은 사람들을 통해 하나님의 계획을 이루세요. 하나님의 계획은 하나님의 영광을 드러내고 사람들에게는 유익해요.

— **이스라엘 백성은 그들을 대적들로부터 구원해 줄 누군가가 필요했어요.** 이스라엘 백성이 하나님께 부르짖자 하나님은 이스라엘을 위해 싸우셨으며, 드보라, 바락, 그리고 야엘을 통해 가나안을 물리치셨어요. 마찬가지로 하나님은 하나님의 백성과 사건을 통해 우리를 원수들로부터 구원하실 뿐만 아니라 아들이신 예수님을 통해 완전한 구원을 이루세요.

탐험하기

하나님의 계획

준비물 학생용 교재 28쪽, 색연필

"하나님은 어떻게 하나님의 계획을 이루시나요?"라고 2단원의 '성경의 초점' 질문을 던진 후 뒤죽박죽 섞인 글자들 속에서 답을 찾아 색칠하게 한다.

— 하나님은 하나님을 잊어버리고 살았던 이스라엘 백성을 가나안 사람들의 손에서 구원하시기 위해 드보라, 바락, 그리고 야엘을 사용하셨어요. 가나안 사람과의 전쟁에서 이긴 후 드보라와 바락은 하나님을 찬양하는 노래를 불

렀고, 이스라엘 백성은 가나안의 지배에서 벗어나 평온해졌어요. **하나님은 어떻게 하나님의 계획을 이루시나요? 하나님은 사람들을 통해 하나님의 계획을 이루세요. 하나님의 계획은 하나님의 영광을 드러내고 사람들에게는 유익해요.**

세 칸 뛰기

준비물 학생용 교재 29쪽, 연필

첫째 줄 왼쪽부터 셋째 글자를 찾아 ○표 하고 빈칸에 순서대로 넣어 2단원의 '성경의 초점' 답의 뒷부분을 완성해 보게 한다.

> 하나님의 계획은
> 하나님의 [영][광]을 드러내고
> [사][람]들에게는 [유][익]해요.

— **하나님은 어떻게 하나님의 계획을 이루시나요? 하나님은 사람들을 통해 하나님의 계획을 이루세요. 하나님의 계획은 하나님의 영광을 드러내고 사람들에게는 유익해요.** 하나님은 하나님의 사람들을 부르시고 상황을 사용하셔서 우리를 원수들로부터 구원하시고, 예수 그리스도를 통해 완전한 구원을 이루세요.

달려라, 담요 *

준비물 큰 담요, 성경

① 아이들을 3명씩 팀으로 나누고, 두 팀씩 레이스를 진행한다.

② 1명은 담요 위에 앉고 2명은 담요 앞쪽의 양끝을 잡게 한다.

③ 인도자가 "시작!"을 외치면 아이들은 담요를 끌고 예배실 반대쪽 벽을 치고 다시 돌아와야 한다고 말해 준다.

④ 이긴 팀에게 1점을 주고 7과의 주제를 질문한다. 이긴 팀이 주제를 정확하게 맞히면 1점을 더 주고, 틀린 경우 상대 팀에게 기회가 넘어간다. 상대 팀이 정확하게 맞히면 1점을 주고, 틀린 경우 점수는 이긴 팀이 가져간다.

— **이스라엘 백성은 그들을 대적들로부터 구원해 줄 누군가가 필요했어요.** 하나님은 이스라엘의 부르짖음에 응답하셨어요. 그래서 사사인 드보라와 바락을 보내 이스라엘 백성을 구원하셨지요. 가나안의 군대장관은 시스라라는 사람이었는데 900대의 철 병거를 끌고 전쟁에 나왔답니다. 성경에서 사사기 4장 14~16절을 펴게 하고, 하나님이 이스라엘 백성에게 승리를 주셨다는 사실을 강조해서 말해 준다.

보물 상자

나만의 기록장

준비물 학생용 교재 30쪽, 연필

나의 죄를 하나님께 고백하고 용서를 구하는 기도나 시를 글로 표현해 보게 한다.

메시지 카드

이번 주 메시지 카드로 부모님과 함께 오늘 배운 성경 이야기를 나누어 보라고 한다.

기도

하나님, 이스라엘 백성처럼 우리는 하나님의 사랑을 받을 만한 자격이 없지만 예수님을 보내 구원해 주셔서 감사합니다. 하나님을 찬양합니다. 하나님이 하시는 모든 일은 하나님의 영광을 드러내고 우리의 유익을 위한 것임을 믿으며 하나님을 더욱 신뢰합니다. 하나님, 사랑합니다. 예수님의 이름으로 기도합니다. 아멘.

8

겁쟁이 기드온이 용사가 되었어요

삿 6~8장

단원 암송

대저 여호와는 우리 재판장이시요
여호와는 우리에게 율법을 세우신 이요
여호와는 우리의 왕이시니 그가 우리를
구원하실 것임이라(사 33:22).

성경의 초점

하나님은 어떻게 하나님의 계획을
이루시나요?
하나님은 사람들을 통해 하나님의 계획을
이루세요. 하나님의 계획은 하나님의
영광을 드러내고 사람들에게는 유익해요.

본문 속으로

사사기 6장은 익숙한 표현으로 시작합니다. "이스라엘 자손이 또 여호와의 목전에 악을 행하였으므로"(삿 6:1). 사사 시대는 이스라엘의 역사 가운데 그다지 좋은 시절이 아니었습니다. 반복되는 'A(죄)-B(고통:속박)-C(회개:부르짖음)-D(구원:사사)-E(평화)' 패턴은 그들이 과거로부터 교훈을 얻지 못했음을 분명히 보여 줍니다.

이번에 이스라엘 백성은 미디안 족속에 의해 핍박을 받았고, 도움을 청하며 하나님께 부르짖었습니다. 하나님은 그들을 구원할 한 사람을 선택하셨는데 그의 이름은 기드온이었습니다. 기드온은 아무도 예상하지 못한 지도자였고, 그 자신도 그 사실을 알고 있었습니다. 기드온은 "오 주여 내가 무엇으로 이스라엘을 구원하리이까 보소서 나의 집은 므낫세 중에 극히 약하고 나는 내 아버지 집에서 가장 작은 자니이다"(삿 6:15)라고 말했습니다.

하나님은 하나님의 계획을 이루시기 위해 가장 큰 사람이나 최고의 사람을 필요로 하지 않으십니다. 사실 하나님은 사람들 가운데 가장 약한 자나 낮은 자를 들어 사용하심으로써 큰 영광을 받으십니다. 하나님은 연약한 기드온에게 강한 능력을 부어 주실 계획을 가지고 계셨습니다. 하나님은 "내가 반드시 너와 함께 하리니"(삿 6:16)라고 말씀하셨습니다.

기드온과 한 무리의 군인들이 함께 모였을 때 하나님은 기드온에게 군사가 너무 많다고 말씀하셨습니다. 하나님은 이스라엘 백성이 미디안 족속을 물리칠 만한 능력이 그들에게 있는 것처럼 생각하기를 원하지 않으셨습니다. 군사들의 숫자가 300명으로 줄어들었을 때에야 그들은 비로소 전투를 준비할 수 있었습니다(삿 7:1~7). 군사들은 나팔을 불고 외치면서 미디안 진영을 향해 달려갔습니다. 하나님은 미디안 군사들이 서로를 향해 칼을 휘두르게 만드셨습니다. 그들은 도망갔지만 기드온과 군사들은 끝까지 추격했습니다.

티칭 포인트

하나님은 이스라엘이 전쟁할 때 그들과 함께하셨습니다. 이스라엘은 자신들의 힘으로 전쟁에서 승리한 것이 아니었습니다. 하나님이 그들을 위해 싸워 주셨습니다. 아이들에게 하나님이 기드온을 부르셔서 승리를 위해 사용하셨다는 사실을 강조해서 말해 주십시오. 기드온에게는 이스라엘을 구원할 능력이 없었습니다. 마찬가지로 우리도 자신을 죄로부터 구원할 수 없습니다. 예수님이 우리를 우리의 죄로부터 구원하시기 위해 오셨습니다. 예수님 한 분이면 충분하기 때문입니다. 오직 하나님만이 그리스도를 통해 우리를 구원하실 수 있다는 사실을 알려 주십시오.

주 제

하나님은 기드온의 약함을 통해 영광을 받으셨어요.

가스펠 링크

우리는 스스로를 죄에서 구원할 수 없어요. 오직 하나님만이 예수님을 통해 우리를 구원하실 수 있어요.

겁쟁이 기드온이 용사가 되었어요 삿 6~8장

이스라엘 백성은 하나님이 보시기에 악한 일들을 행했어요. 그래서 하나님은 미디안이 이스라엘을 정복하게 하셨어요. 미디안 사람들은 이스라엘 백성을 악랄하게 괴롭혔어요. 고통스러웠던 이스라엘 백성은 하나님을 사랑하고 하나님께 순종했던 때를 떠올리고 하나님께 부르짖었어요.

어느 날 여호와의 사자가 기드온에게 나타났어요. "큰 용사여, 여호와께서 너와 함께 계시도다! 너는 가서 미디안 사람의 손에서 이스라엘을 구원하여라." 기드온은 두려웠어요. 기드온은 므낫세 지파 중에서 보잘것없는 집안 사람이었고, 형제 중에서도 막내였거든요. 그러나 여호와께서 "내가 너와 함께할 것이니 너는 미디안 사람들을 무찌를 것이다"라고 말씀하셨어요.

그날 밤 하나님은 기드온에게 바알의 제단을 부수고 아세라 상을 찍으라고 말씀하셨어요. 기드온은 사람들의 눈을 피해 밤중에 하나님의 말씀대로 행했어요. 다음 날 성읍 사람들은 바알의 제단이 파괴되고 아세라 상이 찍힌 모습을 보았어요. 그들은 기드온이 한 일이라는 사실을 알고는 그를 죽이려고 했어요.

얼마 후 이스라엘의 대적들이 다 함께 모여 요단 강을 건너와 진을 쳤어요. 기드온이 나팔을 불자 군사들이 나아왔어요. 기드온은 하나님의 *표적을 구했어요. "주여, 타작마당에 놓은 양털 한 뭉치에만 이슬이 있고 주변 땅은 말라 있으면 주께서 말씀하신 대로 저를 통해 이스라엘을 구원하실 줄로 알겠습니다." 그리고 정확히 그렇게 되었어요. 기드온이 양털을 짜니 이슬이 한 그릇 가득 나왔답니다. 기드온은 표적을 한 번 더 구했어요. 이번에는 양털만 마르고 주변 땅에는 이슬이 있게 해 달라고 했지요. 정확히 그렇게 되었어요.

하나님은 기드온에게 나아온 군사가 너무 많다고 말씀하셨어요. 그리고 누구든지 두려워 떠는 자는 집으로 돌려보내라고 하셨어요. 그들을 돌려보내고 남은 자는 1만 명이었어요. 하나님은 "아직도 많다"라고 말씀하셨어요. 하나님은 기드온에게 그들을 인도해 물가로 가라고 하셨어요. 무릎을 꿇고 물에 입을 대고 마신 자들은 집으로 돌려보냈고, 손으로 물을 떠서 먹은 300명의 사람들만 남았어요.

다음 날 기드온과 300명의 용사들은 손에 나팔과 횃불을 감춘 빈 항아리를 들고 미디안 진영으로 향했어요. 하나님은 이스라엘에게 승리를 주셨고, 미디안 군대는 모두 도망쳤어요. 기드온과 그의 군대는 그들을 추격했어요!

이스라엘 백성은 기드온에게 "당신이 우리를 미디안의 손에서 구원했으니 우리를 다스리소서"라고 말했어요. 하지만 기드온은 "아닙니다. 하나님이 여러분을 다스리실 것입니다"라고 하며 거절했어요.

그러나 기드온이 죽자, 이스라엘 백성은 그들을 대적의 손에서 구원하셨던 하나님을 잊어버렸어요.

가스펠 링크

이스라엘 백성은 스스로를 구원할 수 없어서 하나님께 부르짖었어요. 기드온에게도 그들을 구원할 능력은 없었어요. 하나님은 기드온을 통해 이스라엘 백성을 구하셨지만 전쟁에서 싸우신 분은 하나님이세요. 이스라엘 백성에게는 그들을 구해 줄 구원자가 필요했어요. 예수님이 오신 이유는 우리가 스스로를 죄에서 구원할 수 없기 때문이에요. 오직 하나님만이 예수님을 통해 우리를 구원하실 수 있어요.

*표적 : 겉으로 드러난 표시, 사인

가스펠 준비

(10~20분)

환영

도착하는 아이들을 반갑게 맞이하고 헌금, 출석, QT 등을 확인하며 격려한다. 새 친구가 있다면 소개한다. 편안한 분위기에서 안부를 물으며 오늘의 말씀과 관련된 화제로 이야기를 나눈다. 아이들 중에 가장 힘센 친구가 누구인지 물어본다. 자발적으로 대화에 참여하도록 이끈다.

예) "누가 가장 힘이 센지 어떻게 알 수 있나요?", "언제 가장 힘이 세지는 것 같나요?" 등.

마음 열기

끝까지 생존! *

① 아이들을 모두 일어서게 한다.

② 인도자가 한 가지씩 특징을 말하면서 아이들을 서 있거나 앉게 한다.

예) "이름에 'ㄱ'이 들어가는 친구들은 모두 앉으세요", "생일이 1, 2, 3, 4, 5월 중에 있는 친구들은 서 있으세요", "왼손잡이는 모두 앉으세요" 등.

③ 마지막까지 살아남은 아이에게 점수를 주고 게임을 다시 시작한다.

— 오늘의 성경 이야기에는 몇만 명의 군사들이 나와요. 그렇게 많은 군사가 있다면 아마도 전쟁에서 쉽게 이길 것 같아요. 하지만 하나님은 시험을 통해 군사들의 숫자를 300명으로 줄이셨어요. 전쟁을 하기에 너무 적은 숫자라고 생각하나요? 정말 그럴까요?

너랑 나랑 텔레파시 *

준비물 **단어 카드(기드온, 사사, 용사, 하나님, 표적, 미디안, 제단, 양털 뭉치, 강, 군대, 전쟁), 셀로판테이프**

① 예배실 벽면에 단어 카드를 붙여 놓아 아이들이 잘 볼 수 있게 한다.

② 2명의 아이를 뽑은 후 인도자가 "하나, 둘, 셋!" 하고 외치는 소리와 동시에 단어들 중에 하나를 말하게 한다.

③ 여러 번 반복해서 두 아이 사이에 얼마나 텔레파시가 잘 통하는지 알아본다.

④ 시간 여유가 있다면 모든 아이에게 기회를 준다.

— 여기에 적힌 단어들은 모두 오늘의 성경 이야기에 등장해요. 하나님은 어떤 놀라운 일을 이루셨을까요? **하나님은 기드온의 약함을 통해 영광을 받으셨어요.**

가스펠 **설교**

(15~30분)

들어가기

준비물 **패밀리 레스토랑 종업원 복장**(단색 셔츠, 카키색 바지, 야구 모자, 앞치마), **성경, A4 용지, 시계**

패밀리 레스토랑 종업원 복장을 하고 손에 A4 용지와 성경을 들고 들어온다.

안녕하세요! 대부분 제가 알고 있는 친구들이네요. 그런데 혹시 여기에 '김두온'이라는 분이 있나요? 김두온 씨? 종이를 훑어본다. 여기 이력서에 보면 시간을 정확히 지키는 사람 같은데요. 어? 아직 안 왔나 봐요. 시계를 들여다본다.

와! 드디어 쉬는 시간이 되었어요. 마침 쉬는 시간이 되었으니 조금 더 기다려 봐야겠어요. 레스토랑 일은 꽤 어렵답니다! 항상 해야 할 일이 있거든요.

성경을 들어 보여 준다. 오늘의 성경 이야기가 정말 기대되어요. 지난주에 이어 이번 주도 사사에 대한 이야기이거든요.

연대표

지난주에 배웠던 사사에 대해 기억하는 친구가 있나요? 힌트를 줄게요. 여자예요. (드보라) 맞아요! 여사사 드보라가 죽은 후에 하나님은 다른 사사를 세우셨어요. 연대표에서 오늘의 성경 이야기를 가리킨다. 그 사사의 이름은 기드온이었어요.

여호수아가 당부했어요

사사들이 이스라엘 백성을 이끌었어요

드보라와 바락이 노래했어요

겁쟁이 기드온이 용사가 되었어요

성경의 초점

오늘의 성경 이야기를 듣기 전에 2단원의 '성경의 초점'을 함께 이야기해 볼까요? **하나님은 어떻게 하나님의 계획을 이루시나요? 하나님은 사람들을 통해 하나님의 계획을 이루세요. 하나님의 계획은 하나님의 영광을 드러내고 사람들에게는 유익해요.** 오늘 기드온의 이야기를 들으면서 하나님이 하나님의 영광을 드러내기 위해 사람들을 어떻게 사용하셨는지에 대해 생각해 보세요.

성경 이야기

DVD 사사기 6~8장을 펴고, 설교 영상(지도자용 팩)을 보여 주거나 이야기 성경을 들려준다.

미디안 족속은 이스라엘 백성에게 악하게 대했어요. 하지만 이스라엘 백성이 하나님께 부르짖자 하나님은 그들을 도와주셨어요. 여러분이 오늘의 성경 이야기를 얼마나 기억하는지 함께 살펴보아요.

다음 문장이 '참'이면 자리에서 일어서고,. 문장이 '거짓'이면 그대로 앉아 있어요.

복 / 습 / 질 / 문

1 미디안 족속은 이스라엘 백성의 좋은 친구가 되었어요.
   거짓, 그들은 이스라엘의 대적이었다 (삿 6:2)

2 여호와의 사자는 레이몬드라는 사람에게 나타났어요.
   거짓, 기드온에게 나타났다 (삿 6:12)

3 기드온의 집은 므낫세 지파 중에서 매우 약했어요.
   참 (삿 6:15)

4 기드온은 가족 중 막내였어요.
   참 (삿 6:15)

5 하나님은 기드온과 함께하겠다고 약속하셨어요.
   참 (삿 6:16)

6 기드온은 땅에 양털 뭉치를 두고 하나님께 없애 달라고 구했어요.
   거짓, 양털만 젖거나 마르게 해 달라고 구했다 (삿 6:36~40)

7 기드온의 군대는 강으로 낚시를 하러 갔어요.
   거짓, 물을 마시러 갔다 (삿 7:4~5)

8 기드온은 300명의 군사들만을 데리고 전쟁에 나갔어요.

참 (삿 7:6~8)

9 이스라엘은 미디안 족속과의 전쟁에서 패했어요.

거짓. 그들은 전쟁에서 승리했다 (삿 8:4, 12)

10 기드온이 죽자 이스라엘 백성은 하나님을 잊어버렸어요.

참 (삿 8:33)

하나님은 기드온의 약함을 통해 영광을 받으셨어요. 만약 하나님이 1만 명의 군대와 강한 용사들을 세우셨다면 사람들은 군대가 강해서 전쟁에 이긴 것이라고 생각했을 거예요. 기드온과 적은 수의 군대만으로는 전쟁에서 이길 수 없었어요. 유일한 방법은 하나님이 그들을 위해 싸우시는 것이었지요. 그리고 하나님은 그렇게 하셨어요!

이스라엘 백성에게는 그들을 구해 줄 구원자가 필요했어요. 우리는 기드온과 같이 약하지만 하나님은 아들이신 예수님을 우리에게 보내 주셨어요. 예수님은 인간의 모습으로 이 땅에 오셨어요. 그분은 겸손하고 약해 보이셨지만 누구보다 강한 분이셨어요! 예수님은 우리를 죄로부터 구원하시기 위해 이 땅에 오셨어요. 왜냐하면 우리는 스스로를 죄에서 구원할 수 없기 때문이에요. 오직 하나님만이 예수님을 통해 우리를 구원하실 수 있어요.

하나님은 어떻게 하나님의 계획을 이루시나요? 하나님은 사람들을 통해 하나님의 계획을 이루세요. 하나님의 계획은 하나님의 영광을 드러내고 사람들에게는 유익해요.

복음 초청

성경과 29쪽 복음 초청 가이드를 이용해서 아이들에게 그리스도인이 되는 법을 설명해 준다. 따로 상담해 줄 사람을 정해 주고 궁금한 점이 있으면 물어보도록 격려한다.

이 시간 예수님을 마음에 모시고 싶은 친구는 함께 기도해요.

기도

사랑하는 하나님, 연약한 기드온과 이스라엘 백성을 싸움에서 이기게 하신 능력의 하나님을 찬양합니다. 우리도 우리 자신이 아닌 하나님만 의지할 수 있도록 도와주세요. 하나님은 우리의 힘이십니다. 예수님의 이름으로 기도합니다. 아멘.

적용

TIP 설교 도입이나 적용으로 활용하거나 영상을 본 뒤 소그룹에서 풍성한 대화를 이어 갈 수 있습니다.

DVD 적용 예화 영상(지도자용 팩)을 보여 준다.

하나님은 기드온을 통해 이스라엘이 전쟁에서 대적을 이기게 하셨어요. 기드온은 형제 중에 가장 막내였고 기드온의 가족은 므낫세 지파 중에서 매우 약했어요. 그런데 하나님은 왜 약한 기드온을 선택하셨을까요? 다음 영상을 함께 보아요.

많은 자원을 가지고 임무를 완수한 경우와 적은 자원을 가지고도 완수한 경우 중에 어떤 것이 더 감명 깊은지 아이들과 함께 이야기를 나누어 본다.

기드온은 300명의 군사들과 전쟁에 나갔어요. 어떻게 300명의 군사들을 데리고 나가 싸워 이긴 것이 1만 명의 군사들을 데리고 전쟁에 나간 것보다 더욱더 하나님께 영광을 돌릴 수 있을까요? 하나님이 여러분을 통해 큰일을 하실 수 있을까요? 여러분이 할 수 있는 일의 예를 생각해 보세요.

하나님은 어떻게 하나님의 계획을 이루시나요? 하나님은 사람들을 통해 하나님의 계획을 이루세요. 하나님의 계획은 하나님의 영광을 드러내고 사람들에게는 유익해요.

가스펠 소그룹
(10~20분)

나침반

하나둘 성경 암송

준비물 2단원 암송(107쪽)

① 아이들이 볼 수 있는 곳에 2단원 암송을 펼쳐 놓는다.

② 아이들을 둥글게 앉힌 뒤 오른손은 오른쪽에 앉은 아이의 왼손 위에 손등이 보이도록 올리고, 왼손은 왼쪽에 앉은 아이의 오른손 아래에 손바닥을 위로 향하게 둔다.

③ 인도자가 오른손으로 왼손을 치면서 암송 구절의 첫 단어를 말한다. 아이들도 다 같이 따라 오른손으로 왼손을 치게 한다.

TIP 성경을 암송하기 전에 "하나(내 왼손 치기) 둘(오른쪽 옆 사람의 왼손 치기)", "하나, 둘" 구령을 붙이면서 연습하는 시간을 잠시 가지면 좋다.

④ 인도자의 오른쪽에 앉은 아이가 오른손을 제자리에 놓으면서 암송 구절의 다음 단어를 말하게 한다. 아이들도 다 같이 따라 하게 한다.

⑤ 익숙해지면 "반대로!"라는 구령에 맞추어 방향을 바꾸어 재미를 더한다.

보물 지도

주사위 굴리고, 질문하고

준비물 성경, 주사위

① 두 팀으로 나눈 뒤 인도자가 주사위를 굴리고 질문을 던진다.

② 정답을 맞히는 팀은 인도자가 굴린 주사위 숫자만큼 점수를 얻는다.

1 기드온의 이야기는 성경의 어느 책에 기록되어 있나요? 사사기

2 기드온 바로 앞에 활동했던 이스라엘의 사사는 누구인가요?
드보라 (삿 4:4)

3 기드온 당시 이스라엘을 정복하고 있던 민족은 누구였나요?
미디안 족속 (삿 6:1)

4 누가 기드온 앞에 나타났나요? 여호와의 사자 (삿 6:12)

5 여호와의 사자가 기드온을 무엇이라고 불렀나요?
큰 용사 (삿 6:12)

6 기드온이 우상의 제단을 부순 때는 하루 중 언제였나요?
밤 (삿 6:27)

7 기드온은 전쟁에 나갈 사람들을 어떻게 모집했나요?
나팔을 불었다 (삿 6:34)

8 하나님은 기드온과 함께하신다는 것을 어떻게 증명하셨나요?
양털을 통해 표적을 주셨다 (삿 6:36~40)

9 기드온과 함께 전쟁에 나간 사람들은 모두 몇 명이었나요?
300명 (삿 7:6)

10 이스라엘 백성이 미디안 족속을 공격할 때 가지고 간 세 가지는 무엇인가요? 항아리, 횃불, 나팔 (삿 7:16)

11 누가 전쟁에서 승리했나요? 이스라엘 (삿 8:22)

12 기드온은 누가 이스라엘의 지도자가 될 것이라고 말했나요?
여호와 하나님 (삿 8:23)

13 **하나님은 어떻게 하나님의 계획을 이루시나요?**
하나님은 사람들을 통해 하나님의 계획을 이루세요. 하나님의 계획은 하나님의 영광을 드러내고 사람들에게는 유익해요.

— 잘했어요! 하나님이 기드온을 이스라엘의 지도자로 부르셨을 때 기드온은 하나님이 자신을 부르신다는 확신이 없었어요. 더없이 부족하다고 생각했지요. 하지만 **하나님은 기드온의 약함을 통해 영광을 받으셨어요.**

탐험하기

하나님이 기드온을 부르셨어요

준비물 학생용 교재 32쪽, 연필

숫자 암호를 풀어 빈칸에 알맞은 글자를 적어 보게 한다. 하나님이 기드온에게 주신 이름이라고 말해 준다.

— 오늘의 성경 이야기에서 여호와의 사자가 기드온을 무엇이라고 불렀나요? (큰 용사) 맞아요, 큰 용사라고 불렀어요. 기드온은 이스라엘 백성을 미디안의 손에서 구했어요. 그렇지만 그 전쟁을 지휘하신 분은 하나님이세요. 하나님이 이스라엘 백성을 구해 주셨어요. 그 하나님은 우리에게 예수 그리스도를 보내 주셔서 우리를 죄에서 구원하셨어요.

큰	용	사	여
11 23 2	8 20 8	7 15	8 18

주제 십자 퍼즐

준비물 학생용 교재 33쪽, 연필

① 힌트를 이용해 빈칸에 알맞은 자음과 모음을 채워 넣게 한다.

② 각 어절의 순서를 바꾸어 8과의 주제 문장을 완성하게 한다.

예) 퍼즐 : ㅍ ㅓ ㅈ ㅡ ㄹ

— 기드온은 형제 중에 가장 막내였고 기드온의 집안은 므낫세 지파 중에서도 아주 미미한 존재였어요. 하나님은 보잘 것 없어 보이는 기드온을 부르셨고, 그를 통해 이스라엘 백성을 구하셨어요. 우리는 크거나 강하거나 용감한 존재가 아니지만 하나님은 우리를 사용하신답니다. 하나님의 계획은 우리가 약한 것과 상관없어요. 하나님은 하나님의 영광을 드러내고 우리의 유익을 위해 사람들을 사용하시니까요.

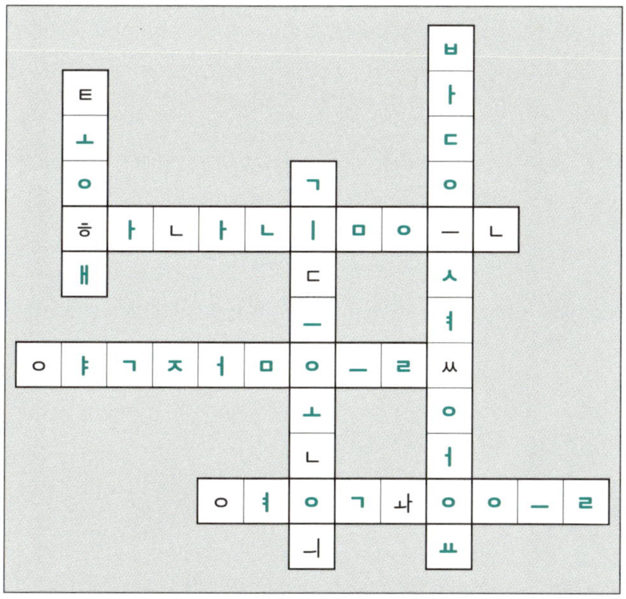

하나님은 기드온의 약점을 통해
영광을 받으셨어요.

횃불 만들기 *

준비물 종이컵, 원통형 심(휴지 심이나 키친타월 심), 연필, 알루미늄 포일, 가위, 칼, 빨간색 색종이, 셀로판테이프 또는 풀

① 종이컵 밑바닥에 원통형 심을 대고 원 모양을 따라 그린 후 자른다.
② 원통형 심을 종이컵 아래에서 위로 끼워 넣되, 컵의 높이까지 밀어 올린다.
③ 컵과 원통형 심의 겉 부분을 알루미늄 포일로 감싼다.
④ 빨간색 색종이를 가늘게 잘라서 원통형 심의 가운데 부분에 풀이나 셀로판테이프로 고정시킨다. 이때 빨간색이 밖으로 보이도록 한다.

TIP 아이스크림콘에 붉은 계열의 막대 과자를 꽂아 재미있는 횃불을 만들어 보아도 좋다.

— 기드온의 횃불을 볼 때마다 이것을 기억하세요. 미디안과의 전쟁에서 싸워 이스라엘 백성을 구하신 분은 기드온이 아니라 바로 하나님이세요. 하나님이 싸우시면 언제나 승리할 수 있어요. **하나님은 기드온의 약함을 통해 영광을 받으셨어요.**

보물 상자

나만의 기록장

준비물 학생용 교재 34쪽, 연필

아이들에게 자신이 좋아하는 일이 무엇인지 물어본다. 잘하지 못해도 괜찮다고 말해 주고, 그 일을 통해 어떻게 하면 하나님께 영광을 돌릴 수 있을지 글로 표현해 보게 한다.

메시지 카드

이번 주 메시지 카드로 부모님과 함께 오늘 배운 성경 이야기를 나누어 보라고 한다.

기도

연약한 기드온을 통해 이스라엘 백성을 구하신 하나님, 감사합니다. 우리는 기드온처럼 약해서 "나만의 기록장"에 적은 일을 잘하고 싶은데 쉽지 않습니다. 하지만 그런 우리의 모습을 통해서도 하나님의 강함이 드러나기를 원합니다. 연약한 우리가 강하신 하나님을 믿는 모습을 사람들에게 보여주기를 원합니다. 하나님, 영광 받아 주세요. 예수님의 이름으로 기도합니다. 아멘.

9

삼손에게 다시 힘을 주셨어요

삿 13~16장

단원 암송

대저 여호와는 우리 재판장이시요
여호와는 우리에게 율법을 세우신 이요
여호와는 우리의 왕이시니 그가 우리를
구원하실 것임이라(사 33:22).

성경의 초점

하나님은 어떻게 하나님의 계획을
이루시나요?
하나님은 사람들을 통해 하나님의 계획을
이루세요. 하나님의 계획은 하나님의
영광을 드러내고 사람들에게는 유익해요.

본문 속으로

소라 땅에 사는 단 지파의 가족 중에 마노아라는 사람이 있었는데 그의 아내는 아기를 낳지 못했습니다. 여호와의 사자가 그 여인에게 나타나 곧 아들을 낳을 것인데 그는 하나님께 바쳐진 나실인이며, 블레셋에게서 이스라엘을 구원할 자가 될 것이라고 말했습니다.

삼손은 성장하며 하나님의 큰 축복을 받아 놀라운 힘을 소유하게 되었습니다. 그러나 삼손이 블레셋 여인과 결혼하고 싶다고 했을 때 그의 부모는 혼란스러웠습니다. 블레셋으로부터 이스라엘을 구원할 자가 왜 하필 블레셋 사람과 결혼하고 싶어 했던 것일까요? 그러나 하나님은 이 모든 일 가운데 놀라운 계획을 갖고 계셨습니다(삿 14:4).

삼손은 함께 결혼식을 준비하던 블레셋 사람들에게 자신이 겪었던 한 사건에 대해 수수께끼를 냈습니다(삿 14:5~14). 그들은 삼손의 아내를 협박해 답을 알아 오라고 했습니다. 이 일은 삼손의 죽음으로 이어지는 일련의 사건의 불씨가 되었습니다. 그들이 수수께끼를 풀자 삼손은 매우 화가 나서 여우 300마리를 잡아 와 꼬리와 꼬리를 매고 횃불을 달아 불을 붙이고 블레셋 사람들의 곡식밭으로 몰아들여서 다 태워 버렸습니다. 또한 나귀 턱 뼈로 1,000명을 죽였습니다.

블레셋의 지도자들은 삼손을 죽이기로 결정했습니다. 삼손이 들릴라라는 여인과 다시 사랑에 빠지자 그들은 그녀에게 뇌물을 주어 삼손의 힘이 어디에서 나오는지 알아내게 했습니다. 삼손이 들릴라의 무릎을 베고 자고 있을 때 한 남자가 와서 삼손의 머리털을 밀어 버렸습니다. 삼손은 모든 힘을 잃고 그만 무기력해졌습니다. 블레셋 사람들은 삼손을 붙잡아 그의 눈을 빼고 청동 사슬로 묶어 감옥에서 맷돌을 돌리게 했습니다. 그러나 그의 머리털이 다시 자라기 시작했습니다.

어느 날 블레셋 지도자들은 그들의 신전에서 다곤에게 제사 지내며 잔치를 벌일 때 전리품인 삼손을 불러다가 재주를 부리게 했습니다. 그들은 삼손을 신전의 두 기둥 사이에 세워 두었습니다. 삼손은 "주 여호와여 구하옵나니 나를 생각하옵소서 하나님이여 구하옵나니 이번만 나를 강하게 하사 나의 두 눈을 뺀 블레셋 사람에게 원수를 단번에 갚게 하옵소서"(삿 16:28)라고 간구했습니다. 하나님은 그에게 힘을 주셨고, 삼손은 기둥을 껴안아 신전을 무너뜨렸습니다. 삼손이 죽을 때 죽인 사람의 수가 살았을 때 죽인 수보다 더 많았습니다(삿 16:30).

주 제

하나님이 삼손에게 힘을 주셨어요.

가스펠 링크

삼손은 자기 죄로 죽게 되었지만
하나님은 그의 죽음을 통해
이스라엘 백성을 구원하셨어요.
예수님은 죄가 없는 분이지만
하나님은 예수님의 죽음과 부활을 통해
우리가 영원한 생명을 얻게 하셨어요.

티칭 포인트

비록 삼손은 하나님께 불순종했지만 하나님은 그를 통해 블레셋 사람들으로부터 이스라엘을 구하심으로써 하나님의 계획을 이루셨다는 사실을 아이들에게 알려 주십시오. 예수님은 마지막 구원자로 오셔서 자신의 삶과 죽음을 통해 그분을 믿는 자들을 구원하셨습니다.

삼손에게 다시 힘을 주셨어요 삿 13~16장

이스라엘 백성은 하나님께 순종하지 않았어요. 그래서 하나님은 이스라엘의 대적인 블레셋이 이스라엘을 정복하게 하셨어요.

어느 날 여호와의 사자가 마노아의 아내에게 나타나 말했어요. "너는 아들을 낳을 것이다. 그런데 그의 머리카락을 잘라서는 안 된다. 그 아이는 배 속에서부터 하나님께 드려진 나실인이기 때문이다. 그가 블레셋 사람의 손에서 이스라엘을 구원하기 시작할 것이다." 곧 아기가 태어났고, 이름을 삼손이라고 지었어요. 하나님은 삼손을 축복하셔서 그에게 힘을 주셨어요.

그런데 어른이 된 삼손은 대적인 블레셋의 여인과 결혼하고 싶어 했어요. 그는 부모님과 함께 블레셋 여인을 만나러 딤나로 갔어요. 가는 길에 젊은 사자 한 마리가 삼손에게 달려들었어요. 삼손은 사자를 맨손으로 찢어서 죽게 했어요. 얼마 후 삼손은 결혼식을 치르기 위해 부모님과 함께 다시 딤나로 갔어요. 그 길에서 자신이 죽게 했던 사자의 시체를 보았어요. 죽은 사자의 몸에는 벌 떼와 꿀이 있었어요. 삼손은 손으로 그 꿀을 떠서 먹었고 부모님께도 드렸어요.

삼손은 결혼식 준비를 도와주던 블레셋 사람들에게 수수께끼를 냈어요. "먹는 자에게서 먹을 것이 나오고 강한 자에게서 단 것이 나왔느니라." 수수께끼의 정답은 사자와 꿀이었지만, 블레셋 사람들은 수수께끼를 풀지 못했지요. 그들은 삼손의 아내에게 답을 알아냈어요. 삼손은 화가 나서 아내를 떠났어요.

얼마 후 삼손이 아내를 찾으러 돌아왔지만, 아내는 이미 다른 남자와 결혼한 후였어요. 화가 난 삼손은 여우 300마리를 잡아서 꼬리와 꼬리를 매고 그 사이에 횃불을 달아 블레셋 사람들의 곡식밭으로 몰았어요. 곡식단과 포도원과 감람나무들이 다 불타 버렸지요. 블레셋 사람들은 화가 났고, 삼손을 죽이고 싶어 했어요.

삼손은 들릴라라는 블레셋 여인을 사랑하게 되었어요. 블레셋 사람들은 들릴라에게 돈을 주고 삼손이 가진 큰 힘의 비밀을 알아내게 했어요. 들릴라는 여러 차례 힘의 비밀을 알아내려다 실패했어요. 그러다가 마침내 삼손은 들릴라의 꾐에 넘어가 사실을 말해 주고 말았어요. "만약 내 머리카락을 잘라 버리면 나는 힘이 빠져서 다른 사람처럼 약해진다오."

삼손이 자고 있을 때 한 사람이 와서 그의 머리카락을 잘랐어요. 블레셋 사람들은 삼손의 눈을 빼고 청동 사슬로 묶어 감옥에서 맷돌을 돌리게 했어요. 그렇지만 삼손의 머리카락이 다시 자라기 시작했어요.

어느 날 블레셋 사람들은 그들의 신 다곤에게 제사를 드리는 신전에 삼손을 불러 재주를 부리게 하자고 했어요. 그들은 삼손을 신전의 두 기둥 사이에 세웠어요. 삼손은 하나님께 부르짖었어요. "주 여호와여, 나를 생각하옵소서. 이번만 나를 강하게 하사 원수를 단번에 갚게 하소서." 그러자 하나님이 삼손에게 힘을 주셨어요. 삼손이 두 기둥을 껴안고 힘을 다해 몸을 굽히자 신전이 무너졌어요. 삼손과 그곳에 있던 모든 블레셋 사람이 죽고 말았어요.

●● 가스펠 링크

삼손은 자기 죄로 죽게 되었지만 하나님은 그의 죽음을 통해 이스라엘 백성을 대적으로부터 구원하셨어요. 예수님은 결코 죄가 없으셨지만 하나님은 예수님을 십자가에서 죽으시고 부활하게 하셔서 예수님을 믿는 사람들이 죄를 용서받고 영원한 생명을 얻게 하셨어요.

가스펠 준비
(10~20분)

환영

도착하는 아이들을 반갑게 맞이하고 헌금, 출석, QT 등을 확인하며 격려한다. 새 친구가 있다면 소개한다. 편안한 분위기에서 안부를 물으며 오늘의 말씀과 관련된 화제로 이야기를 나눈다. 아이들에게 혹시 후회되는 일이 있는지 물어본다. 자발적으로 대화에 참여하도록 이끈다.

예) "'그렇게 하지 말 걸' 하고 후회되는 일이 있나요?", "그 일을 생각할 때 어떤 기분이 드나요?", "어떻게 그 일을 바로잡을 수 있을까요?" 등.

마음 열기

열 고개 퀴즈 *

준비물 색인 카드, 연필이나 사인펜

① 아이들을 두 팀으로 나눈 후 팀별로 색인 카드에 상대 팀에게 낼 문제의 답을 적게 한다.

② 상대 팀은 질문을 통해 답을 맞혀야 하는데 문제를 낸 팀은 상대 팀의 질문에 "예", "아니오"로만 답할 수 있다는 게임의 규칙을 말해 준다.

③ 질문할 수 있는 기회는 10회, 정답을 말할 수 있는 기회는 3회로 제한한다.

④ 인도자는 팀별로 질문 횟수를 기록한다.

⑤ 두 팀 중에서 적은 질문으로 답을 맞힌 팀이 승리한다.

예) · 답 : 드보라, 기드온, 목사님, 성경, 사자 등.
· 질문 : "성경 인물인가요?", "움직이는 것인가요?", "네모난 모양인가요?", "교회에서 볼 수 있나요?" 등.

— 오늘의 성경 이야기는 삼손에 대한 이야기예요. 우리가 친구들에게 계속해서 질문을 했던 것처럼 들릴라라는 여인은 삼손이 왜 힘이 센지 계속해서 질문했어요. 삼손이 무엇이라고 대답했는지 궁금하지 않나요? 어떤 일이 있었는지 삼손의 이야기를 들어 보아요.

손바닥 씨름 *

① 두 사람을 발을 모은 채 마주 보고 세운다. 이때 둘 사이의 간격은 팔 길이 정도가 좋다.

② 인도자가 "시작!"을 외치면 서로 양 손바닥을 마주 친다. 상대방의 발이 움직이거나 떨어지면 이기고, 상대방의 몸에 손이 닿으면 진다는 규칙을 말해 준다.

③ 승리한 사람은 토너먼트 방식으로 계속 대결해 최후의 승자를 뽑는다.

TIP 팔씨름이나 네모 선 밖으로 서로를 밀어내는 경기도 좋다.

— 와! 이 게임을 하려면 정말 힘이 많이 필요하겠어요. 오늘의 성경 이야기는 매우 힘이 센 어떤 사람에 대한 이야기예요. 그렇지만 그 사람은 운동해서 힘을 키운 것이 아니었어요. 어떻게 그가 힘이 셀 수 있었는지 삼손의 이야기를 시작해 볼까요?

가스펠 **설교**

(15~30분)

들어가기

준비물 **패밀리 레스토랑 종업원 복장**(단색 셔츠, 카키색 바지, 야구 모자, 앞치마), **성경**

패밀리 레스토랑 종업원 복장을 하고 노래를 흥얼거리며 성경을 넘기면서 들어온다.

달이 하늘을 아름다운 색으로 물들이면…. 아이들에게 말을 건다. 아! 여러분이 모두 와 있었군요. 기다리고 있었어요. 이제 막 레스토랑 쉬는 시간이 시작되었거든요. 그래서 오늘의 성경 이야기가 무엇인지 찾아보고 있었어요.

새로운 직원을 훈련시키는 일은 잘되고 있는 것 같아요. 오늘은 신입 직원 지훈 씨가 주문을 받고 넣는 법을 배우기로 했어요. 손님의 주문이 아니라 음식 재료를 파는 거래처에서 주문을 받는 일이랍니다. 지훈 씨가 도착할 때까지 오늘의 성경 이야기를 나누어 볼까요?

연대표

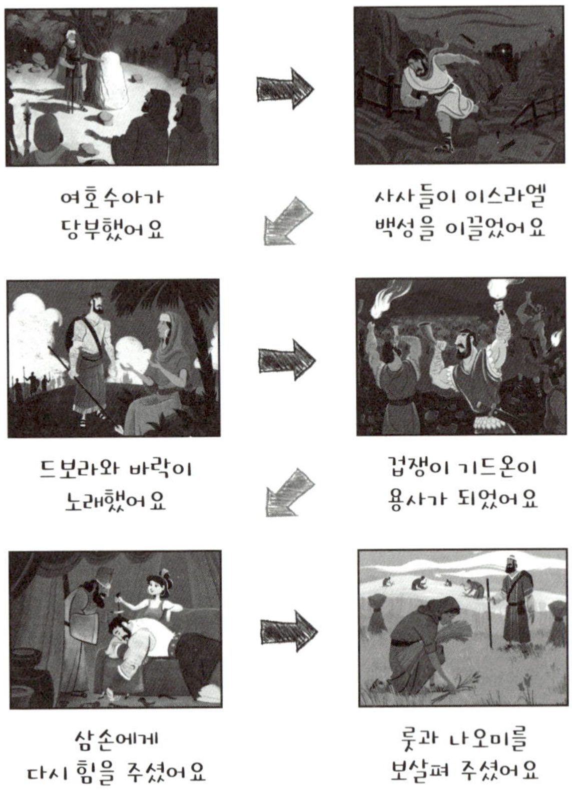

지난주 성경 이야기는 기드온에 관한 이야기였어요. 기드온은 어떤 면에서 특별했나요? 하나님은 왜 기드온을 선택하셨나요? **하나님은 기드온의 약함을 통해 영광을 받으셨어요.** 오늘의 성경 이야기에는 다른 사사가 등장해요. 이 사사는 아주 힘이 셌어요. 연대표에서 오늘의 성경 이야기를 가리킨다. 그 사람의 이름은 삼손이에요.

성경의 초점

오늘의 성경 이야기를 듣기 전에 2단원의 '성경의 초점'을 함께 이야기해 볼까요? **하나님은 어떻게 하나님의 계획을 이루시나요? 하나님은 사람들을 통해 하나님의 계획을 이루세요. 하나님의 계획은 하나님의 영광을 드러내고 사람들에게는 유익해요.** 오늘 삼손의 이야기를 들으면서 하나님이 하나님의 영광을 드러내기 위해 사람들을 어떻게 사용하셨는지 생각해 보세요.

성경 이야기

DVD 사사기 13~16장을 펴고, 설교 영상(지도자용 팩)을 보여 주거나 이야기 성경을 들려준다.

여호수아는 죽기 전에 이스라엘 백성에게 당부했어요. 여러분 중에 여호수아가 남긴 말이 무엇인지 기억하는 친구가 있나요? (오직 여호와만을 섬겨라) 이스라엘 백성은 하나님만 섬겼나요? (아니요) 이스라엘 백성이 하나님을 잊어버렸을 때 어떤 일이 일어났나요? (하나님은 그들의 대적들이 이스라엘을 정복하게 하셨어요) 이스라엘 백성은 고통스러워했고, 하나님을 순종하던 때를 떠올렸어요. 그래서 그들은 하나님께 "우리를 구원해 주세요!" 하고 부르짖었어요. 그러자 하나님은 사사를 세우셔서 이스라엘 백성을 인도하셨어요.

사사 중에는 삼손이라는 사람이 있었어요. 삼손이 태어나기도 전에 하나님의 사자가 삼손의 어머니를 찾아가 아들이 태어날 것이고, 그가 이스라엘을 블레셋의 손에서 구원하기 시작할 것이라고 알려 주었어요. 삼손 당시에는 블레셋 사람들이 이스라엘을 정복하고 있었어요. 그들은 이스라엘 백성에게 악하게 행동했지요.

삼손은 블레셋 여인과 결혼했지만, 나귀의 턱뼈로 블레셋 사람들과 싸워서 그들을 죽게 했어요. 삼손은 어떻게 그렇게 강했을까요? 그 이유는 하나님이 삼손에게 힘을 주셨기 때문이에요. 하나님은 삼손에게 절대로 머리카락을 자르지 말라고 말씀하셨어요. 그러나 삼손은 들릴라에게 너무 많은 것을 알려 주었고, 그 결과 그의 머리카락이 잘리고 말았어요. 삼손은 힘을 잃어버리고 말았답니다. 블레셋 사람들은 삼손을 붙잡아 그의 눈을 빼고 청동 사슬로 매어 감옥에서 맷돌을 돌리게 했어요. 삼손의 머리카락은 다시 자라기 시작했어요.

삼손은 죽기 전에 하나님께 "주 여호와여 구하옵나니 이번만 나를 강하게 하사 블레셋 사람에게 원수를 단번에 갚게 하옵소서"라고 기도했어요. **하나님은 삼손에게** 다시 **힘을 주셨어요.** 삼손은 하나님이 주신 힘으로 이방 신전을 무너뜨렸고, 삼손과 함께 많은 블레셋 사람이 죽었어요. 하나님은 삼손을 통해 블레셋 족속으로부터 이스라엘을 구원하셨어요.

삼손은 잘못된 선택을 했지만, 하나님은 삼손에게 힘을 주셔서 삼손이 그의 죽음을 통해 많은 블레셋 사람을 죽게 하고 대적들로부터 이스라엘을 구하게 하셨어요. **하나님은 어떻게 하나님의 계획을 이루시나요? 하나님은 사람들을 통해 하나님의 계획을 이루세요. 하나님의 계획은 하나님의 영광을 드러내고 사람들에게는 유익해요.**

예수님은 마지막 사사로 이 땅에 오셔서 자신의 삶과 죽음을 통해 믿는 자들을 구원하셨어요. 예수님은 우리는 결코 하지 못할 완벽한 삶을 사셨고, 우리가 마땅히 받아야 할 죽음의 형벌을 대신 받으셨어요. 예수님은 생명을 포기하심으로써 죄인인 우리에게 생명과 구원을 주셨어요. 예수님은 지금도 살아 계시면서 모든 사람이 예수님을 통해 구원받기를 원하신답니다.

복/습/질/문

성경 이야기를 얼마나 기억하고 있는지 알아볼까요?

1. 여호와의 사자가 마노아의 아내에게 한 말은 무엇인가요?
   아들을 낳을 것이다 (삿 13:1~7)
2. 삼손의 힘의 근원은 무엇이었나요?
   하나님 (삿 14:6, 19, 15:14)
3. 삼손이 맨손으로 죽인 동물은 무엇인가요? 사자 (삿 14:6)
4. 삼손이 사랑했던 블레셋 여인은 누구인가요? 들릴라 (삿 16:4)
5. **하나님은 어떻게 하나님의 계획을 이루시나요?**
   하나님은 사람들을 통해 하나님의 계획을 이루세요. 하나님의 계획은 하나님의 영광을 드러내고 사람들에게는 유익해요.

복음 초청

성경과 29쪽 복음 초청 가이드를 이용해서 아이들에게 그리스도인이 되는 법을 설명해 준다. 따로 상담해 줄 사람을 정해 주고 궁금한 점이 있으면 물어보도록 격려한다.

이 시간 예수님을 마음에 모시고 싶은 친구는 함께 기도해요.

기도

하나님, 우리에게 좋은 재능을 주셔서 감사드립니다. 하나님이 주신 은사를 잘 사용할 수 있는 지혜를 주시고, 하나님의 영광을 위해 쓰임 받게 해 주세요. 예수님의 이름으로 기도합니다. 아멘.

적용

TIP 설교 도입이나 적용으로 활용하거나 영상을 본 뒤 소그룹에서 풍성한 대화를 이어 갈 수 있습니다.

여러분은 무엇인가를 제대로 통제하지 못했던 적이 있나요? 다음 영상을 함께 보아요.

DVD 적용 예화 영상(지도자용 팩)을 보여 준다.

비행기의 속도가 빠른 것이 나쁜 것일까요? 어디서부터 문제가 생긴 것일까요? 아이들에게 삼손이 하나님이 주신 재능을 제대로 사용했는지 물어본다. 하나님이 주신 재능은 좋은 방향으로 쓰일 수도 있고, 나쁜 방향으로 쓰일 수도 있어요. 예를 들면, 하나님이 지혜를 주셨는데 그 지혜를 다른 사람을 돕는 데 사용할 수도 있지만 자신의 이익만을 위해서 사용할 수도 있어요. 여러분은 하나님이 주신 재능을 어떻게 쓰고 싶나요?

가스펠 **소그룹**

(10~20분)

나침반

암송 카드 꿰기

준비물 2단원 암송(107쪽), 색인 카드 또는 종이 접시, 펀치, 사인펜, 끈 또는 털실

① 색인 카드의 상단 양쪽에 펀치로 구멍을 뚫어 놓는다.

② 아이들을 두 팀으로 나누고, 카드를 나누어 준 뒤 2단원 암송을 어절로 적절히 끊어서 각각 적게 한다.

③ 카드를 섞어서 상대 팀과 맞교환하고, 인도자가 "시작!"을 외치면 암송 구절 순서대로 배열하게 한다. 먼저 배열한 팀이 승리한다.

④ 순서대로 배열한 카드의 구멍에 끈을 넣어 매듭을 지으라고 한다.

⑤ 2단원 암송을 보여 주고 순서가 맞는지 카드를 한 장씩 넘기면서 다 함께 확인한 후에 큰 소리로 암송 구절을 읽는다.

— 하나님은 이스라엘 백성을 인도하기 위해 사사를 보내 주셨지만, 이스라엘을 실제로 다스리신 분은 하나님이셨어요. 우리는 우리를 인도하시는 하나님을 신뢰해요.

보물 지도

몸으로 말해요 *

준비물 성경, 주제 포스터, 색인 카드, 사인펜

① 성경 이야기의 몇 구절을 색인 카드에 적어 둔다.

예) 사사기 13장 3~5절 : 여호와의 사자가 마노아의 아내에게 나타났어요.
사사기 14장 5~9절 : 삼손이 사자를 죽게 했어요.
사사기 15장 14절 : 하나님이 삼손에게 힘을 주셔서 블레셋 사람들이 묶은 밧줄이 쉽게 끊어졌어요.
사사기 15장 15절 : 삼손이 나귀의 턱뼈로 블레셋 사람 1,000명을 죽게 했어요.
사사기 16장 19절 : 들릴라는 삼손을 속이고 그의 머리카락을 자르게 했어요.
사사기 16장 21절 : 블레셋 사람들은 삼손의 눈을 빼고 청동 사슬로 매어 감옥에서 맷돌을 돌리게 했어요.
사사기 16장 28~31절 : 삼손은 블레셋 신전의 기둥을 밀어서 신전을 무너뜨렸어요.

② 성경에서 사사기 13~16장을 펴 놓으라고 말한다.

③ 자원하는 아이에게 카드 한 장을 뽑은 뒤 말하지 않고 몸으로만 성경 이야기의 장면을 표현하게 한다(이때 잠시 성경을 찾아 내용을 확인하는 시간을 준다).

④ 다른 아이들은 성경 이야기의 어떤 부분인지 맞혀야 한다고 말해 준다.

TIP 아이들이 동작을 생각해 내기 어려워한다면 조언해 주어도 좋다.

— **하나님은 어떻게 하나님의 계획을 이루시나요? 하나님은 사람들을 통해 하나님의 계획을 이루세요. 하나님의 계획은 하나님의 영광을 드러내고 사람들에게는 유익해요.** 하나님은 삼손의 힘을 사용하셔서 블레셋 사람들과의 전쟁에서 이기게 하셨지만, 삼손의 실수 또한 사용하셔서 블레셋 족속을 이길 계획을 갖고 계셨어요. 하나님은 전능하신 분이에요. 그 무엇도 하나님의 계획을 막을 수 없답니다. 이번 주에 여러분은 누구에게 우리를 죄에서 구원하시려는 하나님의 계획을 전할 수 있을까요?

탐험하기

만화 삼손 이야기 큐~

준비물 학생용 교재 36쪽, 연필, 색연필

① 성경 구절들을 찾아 장면을 떠올려 본 후 말풍선에 대사를 넣거나 빈칸에 그림을 그려 만화를 완성해 보게 한다.

② 돌아가면서 자신의 만화를 설명하는 시간을 갖는다.

— 삼손에게는 허점이 많아 보여요. 그런데 하나님은 삼손에게 힘을 주셨어요. 결국 삼손은 자기 죄로 죽게 되었지만 하나님은 그의 죽음을 통해 이스라엘 백성을 대적으로부터 구원하셨어요. 이와 대조적으로 예수님은 결코 죄가 없으셨지만 하나님은 예수님을 십자가에서 죽으시고 부활하게 하셔서 예수님을 믿는 사람들이 죄를 용서받고 영원한 생명을 얻게 하셨어요.

삼손의 힘은 어디에서 나올까?

준비물 학생용 교재 37쪽, 연필, 색연필

머리카락을 따라 미로를 통과해 삼손의 힘의 근원을 찾아보게 한다.

— 한 번도 자르지 않은 삼손의 긴 머리카락은 그가 하나님의 약속을 지키고 있다는 증거였어요. 삼손이 하나님의 약속을 지키면 **하나님이** 삼손과 함께하셔서 **삼손에게 힘을 주셨어요.** 하지만 삼손의 머리카락이 잘려 나가자 삼손은 힘을 잃고 말았어요. 사실 삼손의 힘은 머리카락에서 나온 것이 아니라 하나님으로부터 나온 것이랍니다.

너는 하나님의 선물 *

준비물 A4 용지, 셀로판테이프, 사인펜, 조용한 배경음악

① 조용한 배경음악이 들리는 상태에서 아이들의 등 뒤에 A4 용지를 붙여 주고 사인펜을 나누어 준다.

② 아이들은 서로 만나서 등 뒤에 장점을 적어 준다.

예) "너는 참 좋은 친구야", "너는 늘 사람들을 재미있게 해 줘" 등.

③ 모든 아이에게 진심으로 써야 하며, 비꼬거나 놀리는 식으로 쓰지 않도록 유의하라고 말해 준다.

④ 활동이 끝나면 등 뒤에 붙은 종이를 뜯어 친구들이 전한 메시지를 읽는 시간을 준다.

— **하나님이 삼손에게 힘을 주셨어요.** 삼손은 자신의 노력으로 강해진 것이 아니었어요. 성경은 온갖 좋은 은사와 온전한 선물은 하나님으로부터 내려온다고 말해요(약 1:17). 하나님은 우리를 축복하셔서 우리에게 은사와 재능을 주셔서 하나님께 영광 돌리게 하셨어요.

TIP 시간 여유가 있다면 아이들과 함께 자신의 장점에 대해 하나님께 조용히 감사 기도를 드리는 시간을 갖는다. 하나님이 주신 재능으로 하나님께 영광 돌릴 수 있게 해 달라고 기도한다.

보물 상자

나만의 기록장

준비물 학생용 교재 38쪽, 연필

아이들이 잘하는 것 세 가지를 적어 보고, 자신에게 재능을 주신 하나님께 감사를 드리는 시간을 갖는다. 그리고 이 재능을 사용해 어떻게 하나님께 영광 돌릴 수 있을지 글로 표현해 보게 한다.

— 여러분이 하나님의 위대하심을 다른 사람들에게 보여 줄 때 하나님이 영광을 받으신답니다.

메시지 카드

이번 주 메시지 카드로 부모님과 함께 오늘 배운 성경 이야기를 나누어 보라고 한다.

기도

하나님, 우리에게 소중한 재능을 주셔서 감사합니다. 모두가 서로 다른 재능을 받았으니 우리가 받은 이 재능으로 서로를 사랑하며 섬길 수 있도록 해 주세요. 우리의 약한 부분을 도와줄 여러 사람들을 보내 주셔서 감사합니다. 예수님의 이름으로 기도합니다. 아멘.

10

룻과 나오미를 보살펴 주셨어요

룻 1~4장

단원 암송

대저 여호와는 우리 재판장이시요
여호와는 우리에게 율법을 세우신 이요
여호와는 우리의 왕이시니 그가 우리를
구원하실 것임이라(사 33:22).

성경의 초점

하나님은 어떻게 하나님의 계획을 이루시나요?
하나님은 사람들을 통해 하나님의 계획을
이루세요. 하나님의 계획은 하나님의 영광을
드러내고 사람들에게는 유익해요.

본문 속으로

성경의 제목 중 여인의 이름으로 된 책은 단 두 권뿐입니다. 바로 룻기와 에스더서입니다. 룻의 이야기는 사사 시대를 배경으로 합니다. 당시 사람들은 반역과 부도덕함으로 특징지어집니다. 이스라엘 백성이 그들을 인도할 왕을 달라고 하나님께 요구하던 시대에 룻의 신실함은 예수님께 초점을 맞추게 합니다. 예수님은 사람들이 기다리던 구원자로서 모든 잘못을 바로잡으실 분이었습니다.

룻은 나오미의 며느리였습니다. 나오미는 원래 베들레헴 출신이었으나 남편과 두 아들과 함께 흉년을 피해 모압 지방에 거했습니다. 나오미의 남편이 죽은 후, 두 아들은 각각 모압 여인인 오르바와 룻과 결혼했습니다. 그들은 모압에 거주한 지 10년쯤 되었을 무렵에 모두 죽고 말았습니다.

나오미는 여호와께서 자기 백성을 돌보셔서 그들에게 양식을 주셨다는 소식을 듣고 유다 땅으로 돌아가기로 결정했습니다. 오르바는 자신의 집으로 돌아갔으나 룻은 나오미와 함께 남았습니다. 룻은 이렇게 말했습니다. "어머니께서 가시는 곳에 나도 가고 어머니께서 머무시는 곳에서 나도 머물겠나이다 어머니의 백성이 나의 백성이 되고 어머니의 하나님이 나의 하나님이 되시리니"(룻 1:16). 나오미와 룻은 베들레헴으로 함께 돌아갔습니다.

나오미는 룻이 밭에서 이삭을 줍도록 허락했습니다. 밭의 주인은 보아스라는 사람으로, 나오미의 남편 엘리멜렉의 친족이었으며 '기업 무를 자'였습니다. 기업 무를 자란 문제가 생겼을 때 도와줄 책임이 있는 가까운 친척을 말합니다. 보아스는 룻을 보고 이삭을 주우러 다른 밭으로 가지 말고 안전하게 자신의 밭에 있으라고 말했습니다. 룻은 나오미의 말에 따라 보아스에게 가서 기업 무를 자가 되어 달라고 말했습니다. 보아스는 나오미의 남편이 팔아 버렸던 땅을 다시 사서 돌려주었고 룻과 결혼했습니다. 그들은 아들을 낳아 오벳이라는 이름을 지어 주었습니다. 오벳은 다윗 왕의 할아버지입니다.

●● 티칭 포인트

하나님은 이방인인 룻을 예수 그리스도의 계보에 특별히 집어넣으셨습니다. 아이들에게 우리의 구세주이신 예수님을 소개해 주십시오. 그분이 자신의 피로 대가를 치르시고 우리를 구원하셨다는 기쁜 소식을 알려 주십시오.

주 제

하나님은 룻과 나오미를 구해 줄 사람을 보내 주셨어요.

가스펠 링크

보아스는 룻과 나오미가 어려운 일을 겪고 있을 때 그들의 고통을 책임지고 돌보았어요. 예수님은 우리가 겪을 죄의 형벌을 대신 치르시고 우리를 구원하셨어요.

룻과 나오미를 보살펴 주셨어요 룻 1~4장

나오미는 유다의 베들레헴 지방에서 남편과 두 아들과 함께 살고 있었어요. 그때는 드보라, 기드온, 삼손 등 사사들이 이스라엘을 다스리고 있던 때였어요. 그 땅에 흉년이 들어서 먹을 것이 부족해지자 나오미와 남편은 모압으로 이사를 가기로 결정했어요. 그런데 나오미의 남편은 모압에서 죽고 말았어요. 나오미의 아들들은 각각 모압의 여인인 오르바, 룻과 결혼했어요. 그런데 모압에서 산 지 10년쯤 지났을 때 나오미의 아들들도 죽고 말았어요. 나오미, 오르바, 룻은 모두 혼자가 되었어요. 베들레헴 지방에 흉년이 끝났다는 소식을 들은 나오미는 고향으로 돌아가기로 했어요.

헤어지기 아쉬웠지만 나오미의 설득으로 오르바는 집으로 돌아갔고, 룻은 남았어요. 룻은 "어머니께서 가시는 곳에 저도 가고, 어머니께서 머무시는 곳에서 저도 머물겠습니다. 어머니의 백성이 저의 백성이 되고, 어머니의 하나님이 저의 하나님이 되실 것입니다"라고 하며 나오미와 함께 베들레헴으로 돌아왔어요.

나오미는 룻이 밭에 가서 이삭을 주워 오겠다고 하자 허락해 주었어요. 룻은 우연히 보아스의 밭에 이르렀어요. 보아스는 나오미의 남편의 친척으로, 선한 사람이었어요. 보아스는 밭에서 룻을 보았어요. 그는 룻이 시어머니 나오미를 정성으로 대한 이야기를 전해 듣고는 룻에게 다른 밭으로 가지 말고 자기 밭에서 안전하게 이삭을 주우라고 말했어요. 보아스는 룻이 이삭을 쉽게 주워 갈 수 있도록 일하는 소년들에게 곡식 다발에서 이삭을 조금씩 뽑아 버려두라고 했어요. 덕분에 룻은 밭에서 이삭을 많이 모을 수 있었어요.

룻은 나오미에게 돌아가 이삭 주운 것을 보여 주었어요. 나오미는 보아스에 대한 이야기를 듣고는 이렇게 말했어요. "하나님이 보아스에게 복 주시기를 원한다. 그는 우리가 겪는 어려움을 도와줄 책임이 있는 가까운 친척이란다." 나오미는 보아스가 룻을 돌보아 줄 것을 알고 룻에게 보아스의 밭에서 일하라고 이야기했어요.

나오미는 룻이 그녀를 돌보아 줄 남편을 만나기를 원했어요. 그래서 룻에게 특별한 일을 시켰지요. 룻은 시어머니의 말을 따라 그녀가 가진 가장 좋은 옷을 입고 보아스의 발치에 누웠어요. 이렇게 룻은 보아스에게 결혼하고 싶다는 뜻을 전했어요. 깜짝 놀란 보아스는 "네가 누구냐?"라고 물었어요. 그러자 룻은 "저는 당신의 여종 룻입니다. 당신은 저를 거둬 주실 분입니다"라고 말했어요. 보아스는 그렇게 하겠다고 약속했어요. 그 말은 나오미가 팔았던 땅을 다시 사 주고 룻과 결혼하겠다는 뜻이었어요. 보아스는 룻에게 곡식을 주고는 집으로 돌려보냈어요.

보아스는 나오미의 땅을 다시 샀고 룻과 결혼했어요. 룻과 보아스는 오벳을 낳았어요. 나오미가 오벳을 돌보았지요. 오벳은 자라서 이새를 낳았어요. 이새는 우리가 정말 좋아하는 다윗 왕의 아버지랍니다.

●● 가스펠 링크

보아스는 룻과 나오미를 책임져 줄 사람이었어요. 문제가 생겼을 때 도와줄 책임이 있는 가까운 친척이었지요. 보아스는 룻과 나오미를 돌보았어요. 룻과 나오미 모두 남편을 잃었기 때문이에요. 우리에게는 죄의 문제를 해결할 방법이 없어요. 예수님은 우리를 위해 십자가에서 죽으심으로 우리의 죄의 대가를 치르시고 우리를 구원하셨어요.

가스펠 **준비**

(10~20분)

환영

도착하는 아이들을 반갑게 맞이하고 헌금, 출석, QT 등을 확인하며 격려한다. 새 친구가 있다면 소개한다. 아이들이 도착하면 둘씩 짝을 짓게 한다. 짝끼리 서서 마주 보게 하고, 한 사람이 천천히 움직이면 짝이 거울을 보듯 똑같이 따라 하게 한다.

— 오늘의 성경 이야기는 룻이라는 여인에 대한 이야기예요. 룻은 시어머니 나오미가 가는 곳이면 어디든 따라갔어요.

마음 열기

네 다리가 내 다리, 함께 가자 베들레헴 *

준비물 손수건 4장, 마스킹 테이프

① 마스킹 테이프로 바닥에 출발선과 중간선을 표시한다.
② 아이들을 4팀으로 나눈다.
③ 각 팀을 다시 2명씩 짝을 짓게 한다.
④ 각 팀에서 1쌍씩, 총 4쌍이 나와 출발선에 서게 한다.
⑤ 한 쌍이 2인 3각으로 달릴 수 있게 손수건으로 발목을 묶게 한다.
⑥ 인도자가 "시작"을 외치면 아이들이 달려가 중간선을 찍고 돌아오게 한다.
⑦ 도착한 아이들은 손수건을 풀고 팀의 다음 쌍에게 건네준다.
⑧ 같은 방식으로 게임을 진행하고, 제일 먼저 팀의 모든 쌍이 달리기를 완주하면 이긴다.

— 오늘 우리는 룻이라는 모압 여인이 시어머니 나오미를 따라 베들레헴으로 가 함께 살게 되는 이야기를 배울 거예요. 룻은 나오미를 떠나지 않고 함께했답니다.

이삭 모으기 *

준비물 다양한 색종이 또는 적당한 크기로 자른 색도화지(색깔마다 적어도 10장 이상, 색깔의 종류는 팀의 수만큼)

① 다양한 색종이를 색을 섞어서 예배실 바닥에 흩어 놓는다.
② 아이들을 3~4팀으로 나눈 뒤 팀별로 색깔을 지정해 주고, 자기 팀 색깔의 종이를 가장 먼저 다 모은 팀이 승리한다는 게임의 규칙을 말해 준다.

— 오늘의 성경 이야기에서 룻은 이삭을 주우러 밭으로 향했어요. 룻은 그곳에서 자신의 일생을 바꿔 줄 사람을 만났어요. 한 사람의 일생을 바꾸어 준 사랑 이야기, 함께 시작해 볼까요?

가스펠 **설교**

(15~30분)

들어가기

준비물 **패밀리 레스토랑 종업원 복장**(단색 셔츠, 카키색 바지, 야구 모자, 앞치마), **성경**

패밀리 레스토랑 종업원 복장을 하고 손에 성경을 들고 들어온다.

여러분, 다시 만나 반가워요! 지금 쉬는 시간인데 잘됐네요. 조금 있으면 새로운 직원이 될 보아 씨에게 레스토랑의 기계를 다루는 일을 가르쳐야 하거든요. 보아 씨는 정비공이 되려고 하는데 레스토랑에는 고장 날 만한 기구들이 많으니 정말 잘되었지 뭐예요! 식기세척기도 손봐야지, 싱크대에, 오븐에…. 알 만하지요?

성경을 보여 준다. 여러분, 오늘의 성경 이야기를 들을 준비가 되었나요? 오늘의 성경 이야기는 예수님의 가문에 속하게 된 사람들의 이야기예요. 예수님이 태어나시기 아주 오래전의 일이지요.

연대표

사사들이 이스라엘 백성을 이끌었어요

드보라와 바락이 노래했어요

겁쟁이 기드온이 용사가 되었어요

삼손에게 다시 힘을 주셨어요

룻과 나오미를 보살펴 주셨어요

하나님이 사무엘에게 말씀하셨어요

우리는 이스라엘의 사사들에 대해 배웠어요. 이스라엘의 첫 사사들은 옷니엘, 에훗, 그리고 삼갈이었어요. 그리고 드보라, 기드온, 삼손 등이 있었지요. 연대표를 가리킨다. 오늘의 성경 이야기에는 룻, 나오미, 보아스라는 사람이 등장하는데 그들은 사사들이 이스라엘을 다스리던 시대에 살았어요. 저는 룻과 보아스의 이야기를 참 좋아해요. 룻과 보아스의 이야기가 예수님을 생각나게 하기 때문이지요. 여러분, 오늘의 성경 이야기를 들을 준비가 되었나요?

성경의 초점

오늘의 성경 이야기를 듣기 전에 2단원의 '성경의 초점'을 함께 이야기해 볼까요? **하나님은 어떻게 하나님의 계획을 이루시나요? 하나님은 사람들을 통해 하나님의 계획을 이루세요. 하나님의 계획은 하나님의 영광을 드러내고 사람들에게는 유익해요.** 오늘 룻과 보아스의 이야기를 들으면서 하나님이 룻과 보아스를 통해 어떻게 하나님의 계획을 이루어 가셨는지 생각해 보세요.

성경 이야기

DVD 룻기를 펴고, 설교 영상(지도자용 팩)을 보여 주거나 이야기 성경을 들려준다.

오늘의 성경 이야기는 사사가 이스라엘을 다스리던 시대에 살았던 룻에 대한 이야기예요. 나오미와 가족은 모압으로 향했어요. 홍해의 동쪽에 있던 땅이지요. 모압에 살던 사람들은 하나님의 백성 이스라엘 사람들은 아니었어요. 그들은 아브라함의 조카였던 롯의 후손으로, 하나님만을 유일한 진짜 신으로 예배하지 않았어요. 세월이 지나고 나오미의 아들들은 모압 여인들과 결혼했어요. 그중 한 여인의 이름이 룻이에요. 남편과 두 아들을 잃은 나오미가 이스라엘로 돌아올 때 며느리 룻은 남편이 죽었는데도 자기 고향에 남지 않고 나오미와 함께했어요.

하나님은 룻과 나오미를 구해 줄 사람을 보내 주셨어요. 룻은 밭에서 이삭을 줍던 중 보아스를 만나게 되었어요. 보아스는 부유한 사람이었고 나오미의 죽은 남편의 친척이었어요. 보아스는 룻과 나오미를 책임져 줄 사람이었어요. 문제가 생겼을 때 도와줄 책임이 있는 가까운 친척이었지요. 그는 룻을 돌보기로 하고 룻과 결혼했어요. 룻이 아브라함 가문의 일원이 된 거예요. 룻이 태어나기 1천 년 전에 하나님은 아브라함의 후손을 축복하겠다고 약속하셨어요. 룻과 보아스는 오벳을 낳았고, 오벳은 자라서 이새를 낳았어요. 이새는 바로 다윗 왕의 아버지예요! 하나님은 아브라함의 후손을 통해 예수님을 이 땅의 구세주로 보내셨어요.
생각해 보세요. 룻은 베들레헴 근처의 밭에서 이삭을 모았어요. 자신과 시어머니 나오미를 위한 양식을 구하기 위해서였지요. '베들레헴', 어디서 많이 들어 본 지명 아닌가요? 요? 아이들의 대답을 기다린다. 맞아요! 몇백 년 후에 베들레헴 근처에서 천사들이 목자들에게 나타나 예수님에 대한 소식을 전했어요. 예수님이 베들레헴에서 룻의 후손으로 태어나신 거예요.

복 / 습 / 질 / 문

1 나오미가 자기 가족에게로 돌아가라고 하자 룻은 무엇이라고 대답했나요?
"어머니께서 가시는 곳에 나도 가고 어머니께서 머무시는 곳에서 나도 머물겠나이다 어머니의 백성이 나의 백성이 되고 어머니의 하나님이 나의 하나님이 되시리니" (룻 1:16)

2 나오미와 룻은 모압을 떠나 어디로 갔나요?
베들레헴 (룻 1:19)

3 하나님은 룻을 누구의 밭으로 인도하셨나요?
보아스 (룻 2:3)

4 하나님은 보아스를 어떻게 사용하셨나요?
하나님은 룻에게 보아스라는 구원자를 보내 주셨다 (룻 4:9~10)

5 보아스와 룻의 증손자는 누구인가요?
다윗 (룻 4:22)

6 하나님은 어떻게 하나님의 계획을 이루시나요?
하나님은 사람들을 통해 하나님의 계획을 이루세요. 하나님의 계획은 하나님의 영광을 드러내고 사람들에게는 유익해요.

복음 초청

성경과 29쪽 복음 초청 가이드를 이용해서 아이들에게 그리스도인이 되는 법을 설명해 준다. 따로 상담해 줄 사람을 정해 주고 궁금한 점이 있으면 물어보도록 격려한다.

이 시간 예수님을 마음에 모시고 싶은 친구는 함께 기도해요.

기도

하나님, 룻과 보아스의 이야기를 듣게 해 주셔서 감사합니다. 우리가 우리 힘으로 살도록 내버려 두지 않으시고 이 세상에 하나님의 아들 예수님을 보내시는 놀라운 구원의 계획을 세워 주셔서 감사합니다. 이 계획에 사람들을 사용해 주셔서 감사합니다. 하나님의 계획을 이루시는 일에 우리를 사용해 주세요. 예수님의 이름으로 기도합니다. 아멘.

적용

TIP 설교 도입이나 적용으로 활용하거나 영상을 본 뒤 소그룹에서 풍성한 대화를 이어 갈 수 있습니다.

누군가가 여러분이 구하지 못했던 무엇인가를 얻을 수 있도록 도와준 적이 있었나요? 다음 영상을 함께 보아요.
DVD 적용 예화 영상(지도자용 팩)을 보여 준다.
자신의 물건을 되찾은 카를로스의 기분은 어떠했을까요? 오늘의 성경 이야기에서 나오미와 룻은 모두 남편을 잃었어요. 그들은 남편이 없었기에 살아갈 길이 막연했지요. 그들은 자신들을 보호하고 돌보아 줄 남편이나 아들이 필요했어요. 보아스는 나오미의 남편에게 속했던 땅을 사서 다시 돌려주었어요. 그리고 룻의 가족을 도와주기로 했지요.
아이들이 당시 여인들에게는 보호하고 돌보아 줄 존재가 필요했다는 시대적 배경을 이해하도록 도와준다. 아이들에게 그들을 보호하고 돌보아 주는 사람들이 누구인지 나누어 보게 한다. 룻은 하나님의 가족의 일원이 아니었지만 하나님은 룻을 사용하셨고, 아브라함의 후손이 되게 하셨다는 사실을 강조한다. 룻은 다윗 왕의 증조할머니가 되었다. 그리고 예수님은 다윗 왕의 후손으로 태어나셨다.
하나님은 어떻게 하나님의 계획을 이루시나요? 하나님은 사람들을 통해 하나님의 계획을 이루세요. 하나님의 계획은 하나님의 영광을 드러내고 사람들에게는 유익해요.

가스펠 소그룹
(10~20분)

나침반

뒤집어라, 말씀 카드

준비물 2단원 암송(107쪽), 색인 카드, 사인펜

① 2단원 암송 구절 단어를 색인 카드에 각각 나누어 적는다. 이때 암송 구절 외에 여러 단어들을 써 놓는다(룻, 선생님, 보아스, 교회 등).

② 카드를 섞어 바닥에 뒤집어 놓는다.

③ 아이들이 차례대로 나와서 카드를 뒤집어 가며 암송 구절에 해당하는 단어를 찾게 한다.

④ 카드를 배열해 암송 구절을 완성한 후 다 함께 큰 소리로 외친다.

— 하나님은 우리를 돌보아 주세요. 하나님은 룻에게 구원자 보아스를 보내 주셨고, 우리에게는 구원자 예수님을 보내 주셨어요. 예수님은 십자가에 죽으시고 부활하셔서 예수님을 믿는 모든 사람이 구원을 얻게 하셨어요.

보물 지도

룻기 동화 그리기

준비물 성경, 주제 포스터, 4절지, 색연필, 사인펜

① 아이들을 4팀으로 나누고, 팀별로 성경과 4절지, 색연필, 사인펜을 나누어 준다.

② 팀별로 오늘의 성경 이야기에 해당하는 구절 중 하나씩을 배정해 준다(룻 1:1~5 / 룻 2:1~7 / 룻 2:17~20 / 룻 4:13~17). 아이들에게 성경 구절을 찾아 큰 소리로 읽게 한 후 협동해서 성경 장면을 그리게 한다.

③ 그림이 완성되었으면 다른 팀에게 작품을 발표하게 한다.

TIP 성경 이야기를 다시 들려주어 좀 더 상세하게 그릴 수 있도록 도와주어도 좋다.

— 보아스는 룻과 나오미가 어려운 일을 겪고 있을 때 그들을 돌보았어요. 룻과 나오미 모두 남편을 잃었기 때문이에요. **하나님은 룻과 나오미를 구해 줄 사람을 보내 주셨어요.** 마찬가지로 하나님은 도움이 필요한 우리를 위해 예수님을 보내셔서 십자가에서 죽으심으로 우리 죄의 대가를 치르게 하시고 구원을 주셨어요.

탐험하기

베들레헴에서 모압까지

준비물 학생용 교재 40쪽, 색연필

① 색연필을 이용해 지시문을 따라 색칠하거나 선을 그려 지도를 완성하게 한다.

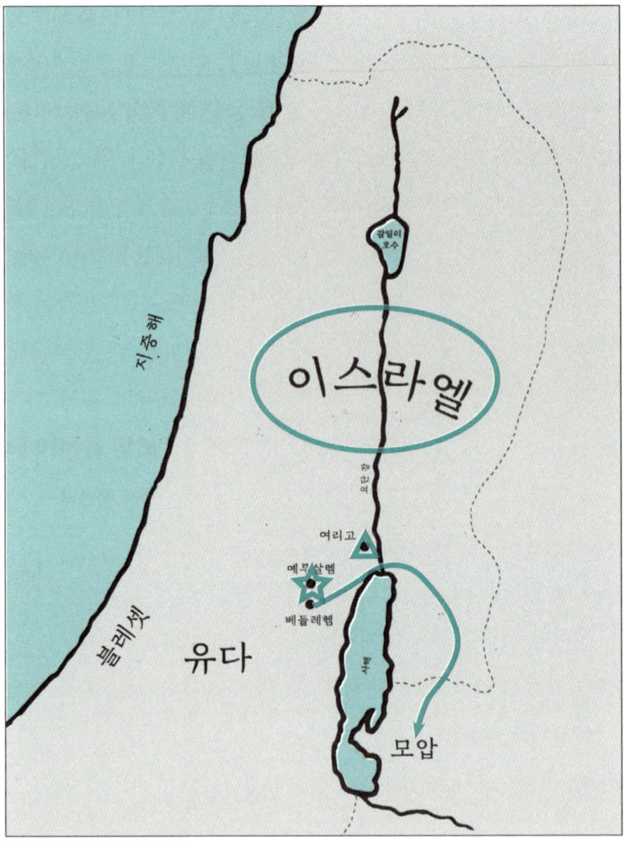

② 아이들에게 익숙한 지명을 알려 주고, 이스라엘 백성이 요단 강(동쪽에서 서쪽 방향으로)을 건너 약속에 땅에 들어갔다는 사실을 떠올려 준다. 이어서 이스라엘 백성이 여리고 성 주위를 돌았고, 여리고 성이 무너졌다는 것도 이야기해 준다.

— 오늘의 성경 이야기에서 나오미의 가족은 베들레헴을 떠나 도시를 가리킨다. 모압 땅으로 향했어요. 모압 지역을 가리킨다. 어려움에 빠진 나오미와 룻이 베들레헴으로 돌아오자 **하나님은 룻과 나오미를 구해 줄 사람을 보내 주셨어요.**

룻처럼 이삭을 주워요

준비물 학생용 교재 41쪽, 연필

짝이 없는 이삭의 단어들을 주워서 10과의 주제 문장을 완성해 보게 한다.

— **하나님은 룻과 나오미를 구해 줄 사람을 보내 주셨어요.** 이야기의 초반에 나오미와 룻은 집도, 음식도 없었어요. 이야기가 끝날 무렵 하나님은 그들에게 필요한 모든 것을 채워 주셨어요. 마찬가지로 하나님은 우리의 가장 큰 필요를 채워 주세요. 그것은 바로 죄로부터 용서받는 거예요. 하나님은 아들이신 예수님을 우리의 구원자로 이 땅에 보내셨어요.

예수님의 족보를 만들어라 *

준비물 성경, 플라스틱 컵 또는 색인 카드 20개, 사인펜

① 다음 이름들을 각각 플라스틱 컵에 쓴다.

아비야, 아브라함, 아하스, 보아스, 다윗, 엘르아살, 히스기야, 이삭, 야곱, 여호사밧, 이새, 예수, 요셉, 요시야, 맛단, 오벳, 르호보암, 솔로몬, 웃시야, 스룹바벨

② 플라스틱 컵을 책상 위에 흩어 둔다.

③ 아이들에게 성경에서 마태복음 1장 2~16절을 펴 놓고 이름들을 순서대로 배열하게 한다. '아브라함'에서 시작해 '예수'로 끝나야 한다고 말해 준다. 아이들이 모두 마치면 답을 확인한다.

예수님의 계보(마태복음 1장 1~16절)

1. 아브라함	6. 이새	11. 여호사밧	16. 스룹바벨
2. 이삭	7. 다윗	12. 웃시야	17. 엘르아살
3. 야곱	8. 솔로몬	13. 아하스	18. 맛단
4. 보아스	9. 르호보암	14. 히스기야	19. 요셉
5. 오벳	10. 아비야	15. 요시야	20. 예수

— 룻은 예수님이 태어나신 때로부터 1천 년 전에 살았던 사람이에요. 그러나 하나님은 그때에도 하나님의 백성을 죄에서 구원하려는 계획을 이루고 계셨어요. **하나님은 룻과 나오미를 구해 줄 사람을 보내 주셨어요.** 그리고 하나님은 더 큰 구원자를 우리에게 보내 주셨어요. 바로 하나님의 아들이신 예수님이세요. 예수님이 우리의 죄를 대신 지셨기 때문에 예수님을 믿는 사람은 누구나 죄를 용서받고 영원한 생명을 얻을 수 있어요.

보물 상자

나만의 기록장

준비물 학생용 교재 42쪽, 연필

① 자신을 돌보아 주거나 보호해 주는 사람들의 이름을 적어 보고, 감사의 인사를 드리게 한다.

② 하나님이 우리를 돌보시기 위해 놀라운 방법으로 이 땅에 보내 주신 분이 누구이신지 질문해 본다.

— **하나님은 룻과 나오미를 구해 줄 사람을 보내 주셨어요.** 하나님은 우리에게도 사람을 보내 돌보아 주세요. 하나님이 우리에게 보내 주신 가장 중요한 사람은 바로 예수님이세요. 예수님은 우리의 구원자이세요. 우리는 모두 죄인이기 때문에 예수님의 도움이 필요해요. 예수님은 우리의 죄를 지시고 십자가에서 죽으심으로 우리를 구원하셨어요.

메시지 카드

이번 주 메시지 카드로 부모님과 함께 오늘 배운 성경 이야기를 나누어 보라고 한다.

기도

하나님, 구원받을 자격이 없는 우리를 구원해 주셔서 감사합니다. 하나님이 주신 구원에 감사하며 복음을 전하는 삶을 살게 해 주세요. 사랑에 빚진 자의 삶, 복음에 빚진 자의 삶을 살아가 하나님의 뜻을 행하는 자가 되도록 도와주세요. 예수님의 이름으로 기도합니다. 아멘.

11

하나님이 사무엘에게 말씀하셨어요

삼상 1~3장

단원 암송

대저 여호와는 우리 재판장이시요
여호와는 우리에게 율법을 세우신 이요
여호와는 우리의 왕이시니 그가 우리를
구원하실 것임이라(사 33:22).

성경의 초점

하나님은 어떻게 하나님의 계획을 이루시나요?
하나님은 사람들을 통해 하나님의 계획을
이루세요. 하나님의 계획은 하나님의 영광을
드러내고 사람들에게는 유익해요.

본문 속으로

한나는 사사 시대의 평범한 이스라엘 여인이었습니다. 한나는 아이를 갖기를 간절히 원했지만 하나님은 한나가 임신하지 못하게 하셨습니다(삼상 1:5). 한나는 매년 남편과 함께 실로로 가서 하나님께 예배하며 제사를 드렸습니다.

어느 날 한나는 다시 주님 앞에 나아갔습니다. 그리고 기도하고 통곡하며 만일 하나님이 아들을 주시면 그 아들을 하나님께 드리겠다고 서원했습니다. 한나가 너무 강렬하게 울면서 기도하므로 엘리 제사장은 그녀가 술에 취한 줄로 생각하고 꾸짖었습니다. 그러자 한나는 "나는 마음이 슬픈 여자라 포도주나 독주를 마신 것이 아니요 여호와 앞에 내 심정을 통한 것뿐이오니"(삼상 1:15)라고 설명했습니다. 엘리는 한나를 축복했습니다. "하나님이 네가 기도하여 구한 것을 허락하시기를 원하노라"(삼상 1:17).

하나님은 한나의 기도에 응답하셨습니다. 한나는 아들을 낳았고, 이름을 사무엘이라고 지었습니다. 사무엘은 '내가 여호와께 그를 구했다'라는 뜻입니다.

사무엘이 젖을 떼자 한나는 아이를 실로에 있는 엘리 제사장에게 데려갔습니다. 사무엘상 2장은 한나의 승리의 기도를 기록한 것입니다. 한나는 하나님께 영광을 돌리고 사무엘을 엘리 제사장에게 맡겨 그의 밑에서 하나님을 섬기게 했습니다. 사무엘은 신실하게 하나님을 섬겼습니다. 한나는 매년 사무엘을 만나러 갈 때마다 작은 겉옷을 지어다 주었습니다.

엘리에게는 제사장인 두 아들들이 있었습니다. 엘리는 그들을 제대로 다스리지 못했습니다. 그들은 행실이 악했고 하나님을 경외하지 않았습니다. 엘리는 아들들을 꾸짖었지만 그들은 듣지 않았습니다. 그래서 하나님은 엘리의 가문을 버리셨습니다.

사무엘상 3장에서 사무엘은 하나님의 부르심에 응답했습니다. "말씀하옵소서 주의 종이 듣겠나이다"(삼상 3:10). 사무엘은 이스라엘 백성에게 하나님의 말씀을 전하는 선지자가 되었습니다. 사무엘은 하나님의 선지자이자 이스라엘의 마지막 사사였습니다.

주 제

하나님은 사무엘을 부르셔서
하나님의 계획을 알려 주셨어요.

가스펠 링크

사무엘은 하나님의 말씀을 전해
사람들에게 하나님을 보여 주었어요.
말씀이신 예수님은 자신을 통해
하나님이 어떤 분이신지 보여 주시고
우리를 죄에서 영원히 자유롭게 하셨어요.

●● 티칭 포인트

아이들이 하나님의 말씀을 전하는 메신저로서의 사무엘의 역할을 이해하게 도와주십시오. 또한 사무엘을 예수님과 연결시키도록 해 주십시오. 예수님은 이 땅에 오셔서 하나님이 어떤 분이신지 전해 주시고 몸소 보여 주셨습니다.

하나님이 사무엘에게 말씀하셨어요 삼상 1~3장

엘가나의 아내 한나는 아기를 낳지 못해 너무 슬펐어요. 매년 한나는 남편 엘가나와 함께 여호와의 집에 올라가 하나님께 예배하며 제사를 드렸어요. 한나는 울면서 하나님께 기도했어요. "하나님, 만일 제 고통을 돌보시고 저를 기억하셔서 제게 아들을 주신다면 그의 평생을 여호와께 드리겠습니다."

한나가 입술만 움직이고 목소리는 들리지 않게 기도하고 있었기 때문에 엘리 제사장은 한나가 술에 취했다고 생각했어요. 그래서 한나에게 술을 끊으라고 말했지요. 한나는 "저는 마음이 슬픈 여자입니다. 술을 마신 것이 아니라 여호와께 제 마음을 솔직히 말씀드렸을 뿐입니다"라고 대답했어요. 그러자 엘리 제사장은 "평안히 가라. 하나님이 네 기도에 응답해 주시기를 원하노라"라고 축복했어요.

한나와 엘가나는 집으로 돌아왔고, 하나님은 한나의 기도에 응답하셨어요. 한나가 아들을 낳은 거예요! 한나는 아이의 이름을 사무엘이라고 지었어요. 한나는 어린 사무엘이 젖을 떼자 엘리 제사장에게로 데려갔어요. "하나님이 기도에 응답하셨으니 저도 이 아이를 여호와께 드립니다. 그의 평생을 여호와께 드리겠습니다." 사무엘은 여호와의 집에서 엘리 제사장과 함께 하나님을 섬겼어요. 매년 한나는 사무엘을 만나러 갈 때마다 새 겉옷을 지어다 주었고, 하나님은 한나에게 더 많은 자녀를 허락하셨답니다.

엘리 제사장은 나이가 많이 들었어요. 그에게는 제사장으로 섬기는 두 아들이 있었는데 하나님 앞에 죄를 짓고 있었어요. 엘리 제사장이 아들들을 꾸짖었지만 듣지 않았지요. 한편 사무엘은 점점 자라면서 하나님과 사람들에게 더욱 사랑을 받았어요.

어느 날 밤, 여호와의 전 안에 누워 있던 사무엘은 누군가 자신을 부르는 소리를 들었어요. 사무엘은 엘리 제사장이 부르는 줄 알고는 엘리에게 달려가 물었어요. "저를 부르셨어요?" 하나님은 사무엘을 세 번 부르셨고, 그때마다 사무엘은 엘리 제사장에게로 달려갔지요. 마침내 엘리 제사장은 하나님이 사무엘을 부르신 것이라는 사실을 깨달았어요. 그는 사무엘에게 어떻게 대답해야 하는지 가르쳐 주었어요.

사무엘이 다시 눕자 하나님이 부르셨어요. "사무엘아, 사무엘아!" 이번에 사무엘은 "말씀하옵소서. 주의 종이 듣겠나이다"라고 대답했어요. 하나님은 사무엘에게 엘리 제사장의 가족의 죄로 인해 그들을 심판할 것이라고 말씀하셨어요. 다음 날 엘리 제사장은 사무엘에게 하나님의 말씀을 그대로 전해 달라고 했어요. 사무엘은 그렇게 했어요.

사무엘이 자라는 동안 하나님이 그와 함께하셨어요. 이스라엘 백성은 누구나 사무엘이 하나님의 말씀을 전하는 선지자라는 것을 알게 되었지요. 하나님은 사무엘을 통해 이스라엘에 대한 하나님의 계획을 알려 주셨어요.

●● 가스펠 링크

사무엘은 하나님의 말씀을 전해 사람들에게 하나님이 어떤 분이신지, 어떤 계획을 갖고 계신지를 알려 주었어요. 요한복음 1장 1절에는 예수님이 말씀이시라고 기록되어 있어요. 예수님은 자신을 통해 하나님이 어떤 분이신지 보여 주셨고 죄에서 돌이키라고 말씀하셨어요. 또한 예수님은 궁극적으로 십자가에서 죽으시고 부활하셔서 사람들을 죄에서 영원히 자유롭게 하셨어요.

가스펠 준비
(10~20분)

환영

도착하는 아이들을 반갑게 맞이하고 헌금, 출석, QT 등을 확인하며 격려한다. 새 친구가 있다면 소개한다. 편안한 분위기에서 안부를 물으며 오늘의 말씀과 관련된 화제로 이야기를 나눈다. 아이들에게 누군가가 일을 맡겼던 경험이 있는지 물어본다. 자발적으로 대화에 참여하도록 이끈다.

예) "부모님이나 선생님이 어떤 일을 시킨 적이 있었나요?", "어떤 일이었는지 말해 줄래요?", "시킨 일을 할 때 기분이 어떠했나요? 즐거웠나요, 아니면 하기 싫었나요?" 등.

— 오늘의 성경 이야기는 하나님이 특별한 일을 시키신 한 사람에 관한 이야기예요. 어떤 이야기일지 궁금하지요?

마음 열기

내가 누구게? *

준비물 의자

① 예배실 앞쪽에 정면을 향해 의자를 놓아 둔다.

② 술래를 뽑아 의자에 앉힌다. 아이들로부터 등을 돌리고 앉은 모습이 된다.

③ 인도자가 아이들 중 한 명을 가리키면 그 아이가 술래의 이름을 부르는데, 입을 가리거나 목소리를 변조해서 누구인지 최대한 알아차리지 못하게 해야 한다고 말해 준다.

④ 술래는 자기의 이름을 부른 사람을 맞힐 수 있는 기회를 3회 갖는다.

⑤ 맞혔으면 이름을 부른 아이가 다음 술래가 되고, 틀렸다면 다시 게임을 진행한다.

⑥ 시간 여유가 되는 대로 게임을 반복한다. 모든 아이가 의자에 앉거나 이름을 부를 수 있도록 기회를 준다.

— 오늘 우리는 사무엘의 이야기를 들을 거예요. 사무엘은 누군가가 자신을 부르는 소리를 들었지만 누구인지 알지 못했어요. 어떤 일이 일어났는지 함께 들어 보아요.

다 함께 말해요 *

준비물 단어를 적은 색인 카드

① 색인 카드에 다음 단어들을 각각 적어 준비해 둔다.

예) · 팀원이 3명일 때 : 들릴라, 사무엘, 예수님 등.

· 팀원이 4명일 때 : 요한복음, 출애굽기, 사도행전, 여호수아 등.

· 팀원이 5명일 때 : 엘리 제사장, 말씀하소서, 듣겠나이다, 디모데전서, 고린도후서 등.

② 아이들을 두 팀으로 나눈 후 대표를 정해 카드를 한 장 뽑게 한다. 카드에 적힌 단어를 차례대로 한 글자씩 나누어 맡고 상대 팀을 향해 양옆으로 길게 선다.

③ 인도자가 "시작!"을 외치면 동시에 큰 목소리로 글자를 말하고, 상대 팀은 정답을 맞혀야 한다고 말해 준다.

④ 정답을 맞힐 수 있는 기회는 3회다.

— 오늘의 성경 이야기에서 하나님은 사무엘에게 말씀하셨지만 사무엘은 처음에 잘 알아듣지 못했어요. 하나님이 무슨 말씀을 하셨을까요? 함께 배워 보아요.

가스펠 설교

(15~30분)

들어가기

준비물 **패밀리 레스토랑 종업원 복장**(단색 셔츠, 카키색 바지, 야구 모자, 앞치마), **성경**

패밀리 레스토랑 종업원 복장을 하고 손에 성경을 들고 들어온다.

여러분, 반가워요! 매주 성실하게 이곳에 오는 여러분, 정말 감사해요. 오늘이 아마 여러분을 만나는 마지막 주가 될 것 같아요. 오늘이 마지막 직원을 교육하는 날이거든요. 오늘 만날 직원의 이름은 삼순 씨인데, 오늘이 삼순 씨의 첫 근무일이에요. 여러분은 평소에 어떤 일을 하나요? 여러분 중에는 부모님의 집안일을 도와드리는 친구도 있을 거예요. 오늘 마지막으로 삼순 씨를 교육시킬 생각을 하니 가슴이 두근두근하네요. 삼순 씨는 잘해 낼 거예요.

성경을 보여 준다. 오늘 여러분에게 들려줄 이야기는 이스라엘의 마지막 사사에 대한 이야기예요.

연대표

사사들이 이스라엘 백성을 이끌었어요

드보라와 바락이 노래했어요

겁쟁이 기드온이 용사가 되었어요

삼손에게 다시 힘을 주셨어요

룻과 나오미를 보살펴 주셨어요

하나님이 사무엘에게 말씀하셨어요

우리가 지난 몇 주간 배웠던 사람들의 이야기를 기억하는 친구들은 손을 높이 들어 보세요. 누가 나왔는지 한번 이야기해 볼래요? 아이들의 대답을 기다린다. (옷니엘, 에훗, 삼갈, 드보라, 바락, 야엘, 기드온, 삼손, 룻, 나오미, 보아스 등) 오늘의 성경 이야기에는 엘리와 사무엘이 나와요. 엘리는 제사장이었고, 사무엘은 선지자였어요. 오늘의 성경 이야기는 하나님이 엘리와 사무엘에게 어떤 일을 행하셨는지에 대한 이야기랍니다.

성경의 초점

오늘의 성경 이야기를 듣기 전에 2단원의 '성경의 초점'을 함께 이야기해 볼까요? **하나님은 어떻게 하나님의 계획을 이루시나요? 하나님은 사람들을 통해 하나님의 계획을 이루세요. 하나님의 계획은 하나님의 영광을 드러내고 사람들에게는 유익해요.** 오늘 엘리와 사무엘의 이야기를 들으면서 하나님이 그들을 통해 어떻게 하나님의 계획을 이루셨는지 생각해 보세요.

성경 이야기

DVD 사무엘상 1~3장을 펴고, 설교 영상(지도자용 팩)을 보여 주거나 이야기 성경을 들려준다.

모세가 죽은 후에 이스라엘을 약속의 땅으로 이끌었던 여호수아를 기억하고 있나요? 여호수아가 했던 일 중에 하나는 성막을 만든 것이었어요. 성막은 하나님이 이스라엘 백성과 함께 거하시는 곳이었어요. 엘가나와 그의 아내 한나는 성막으로 가서 하나님께 희생 제사와 예배를 드렸어요.

복 / 습 / 질 / 문

성경 이야기를 얼마나 기억하고 있는지 알아볼까요? 답을 아는 친구는 손을 들어 주세요.

1. 한나가 하나님께 구한 것은 무엇인가요?
   아들 (삼상 1:11)
2. 하나님은 한나의 기도에 응답하셨나요?
   그렇다, 사무엘이 태어났다 (삼상 1:19~20)
3. 한나가 사무엘에 대해 서원한 내용은 무엇인가요?
   여호와께 평생을 드리겠다고 서원했다 (삼상 1:22, 28)

하나님은 사무엘을 부르셔서 하나님의 계획을 알려 주셨어

요. 하나님은 사무엘을 통해 하나님의 백성과 이야기하셨어요. 사사들이 있었음에도 불구하고 이스라엘 백성은 하나님께 신실하지 않았어요. 그들은 사사들보다 그들을 이끌어 줄 더 나은 지도자를 요구했어요. 그러자 하나님은 사무엘을 통해 그들에게 왕을 보내 주셨지요. **하나님은 어떻게 하나님의 계획을 이루시나요? 하나님은 사람들을 통해 하나님의 계획을 이루세요. 하나님의 계획은 하나님의 영광을 드러내고 사람들에게는 유익해요.**

찬양

다스리소서

여호와는 우리의 재판장
율법을 세우신 주
여호와는 우리의 왕이라
그가 우릴 구원하실 것이라

나의 마음과 뜻을 다하고
힘을 다하여
주님만 사랑하리

헛된 마음 모두 버리고
주만 경배하리
예수 나의 주
다스리소서.

DVD ※지도자용 팩 또는 가스펠 프로젝트 홈페이지(gospelproject.co.kr)에서 이용하세요.

복음 초청

성경과 29쪽 복음 초청 가이드를 이용해서 아이들에게 그리스도인이 되는 법을 설명해 준다. 따로 상담해 줄 사람을 정해 주고 궁금한 점이 있으면 물어보도록 격려한다.

이 시간 예수님을 마음에 모시고 싶은 친구는 함께 기도해요.

기도

하나님, 우리에게 하나님의 말씀을 주셔서 감사합니다. 사무엘에게 보여 주신 하나님의 신실하심을 찬양합니다. 하나님은 한나를 축복하셔서 아들 사무엘을 주시고, 그를 통해 하나님의 계획을 이루셨습니다. 우리도 하나님의 영광을 위해 쓰임 받게 하시고 우리가 하나님의 말씀을 들을 수 있도록 도와주세요. 한나가 하나님께 드린 기도처럼 우리도 기도드립니다. "여호와와 같이 거룩하신 이가 없으시니 이는 주 밖에 다른 이가 없고 우리 하나님 같은 반석도 없으심이니이다"(삼상 2:2). 하나님, 사랑합니다. 예수님의 이름으로 기도합니다. 아멘.

적용

TIP 설교 도입이나 적용으로 활용하거나 영상을 본 뒤 소그룹에서 풍성한 대화를 이어 갈 수 있습니다.

여러분은 다른 사람들의 이야기를 잘 듣는 편인가요? 듣기 싫었던 적도 있었나요? 사무엘이 베개로 귀를 막아 하나님의 말씀을 듣지 않고 다시 잠들었다고 생각해 보세요!

DVD 적용 예화 영상(지도자용 팩)을 보여 준다.

하나님께 집중하지 않으면 하나님의 말씀을 듣기 어려워요. 우리가 하나님의 말씀을 들을 수 있는 한 가지 방법은 성경을 통해서예요. 그리고 기도할 때도 하나님의 말씀을 들을 수 있답니다.

가스펠 소그룹

(10~20분)

나침반

암송 행진

준비물 2단원 암송(107쪽), 마스킹 테이프

① 마스킹 테이프를 이용해 예배실 바닥에 크게 ×자를 그린다.

② 아이들을 4팀으로 나눈 뒤 4개의 칸에 각각 세운다.

③ 2단원 암송을 보여 주고, 암송 구절을 4어절로 나누어 각 팀당 하나씩 배정해 준다.

④ 인도자가 팀을 가리킬 때마다 해당 팀원들은 한목소리로 배정된 성경 구절을 이야기해야 한다고 말해 준다.

⑤ 인도자가 "왼쪽!" 또는 "오른쪽!"이라고 말하면 아이들은 지시에 따라 한 칸씩 이동해야 하며, 해당 칸에 배정된 성경 구절을 말해야 한다는 게임의 규칙을 설명해 준다.

⑥ "왼쪽으로 두 칸!" 또는 "오른쪽으로 한 칸!" 등 다양한 지시를 내리며 게임을 반복하면서 아이들이 암송 구절을 익히게 한다.

— 이사야 33장 22절은 하나님이 어떤 분이시라고 말하나요? (재판장, 율법을 세우신 이, 우리의 왕) 하나님은 우리를 어떻게 하실 것이라고 말하나요? (우리를 구원하실 것이다.) 하나님은 우리를 구원하신 우리의 왕이세요!

보물 지도

풍선을 뺏어라!

준비물 성경, 풍선이나 공(팀당 3개씩)

① 아이들을 여러 팀으로 나누고 팀별로 풍선을 3개씩 나누어 준다.

② 인도자가 가위바위보로 이긴 팀에게 질문하면 그 팀원들에게만 정답을 맞힐 수 있는 기회가 주어진다. 정답을 맞히면 다른 팀의 풍선을 하나 가져올 수 있다고 말해 준다.

③ 풍선이 다 떨어진 팀은 탈락한다. 단, 팀원 중 한 명이 11과의 주제나 2단원 암송 구절을 외우는 데 성공하면 풍선 하나를 가져올 수 있다고 알려 준다.

1 아기를 갖지 못했던 엘가나의 아내의 이름은 무엇인가요?

한나 (삼상 1:2)

2 엘가나가 매년 갔던 곳은 어디인가요? 여호와의 전 (삼상 1:3, 9)

3 엘리의 직업은 무엇인가요? 제사장 (삼상 1:3)

4 한나가 기도로 낳은 아들의 이름은 무엇인가요? 사무엘 (삼상 1:20)

5 한나가 사무엘을 데리고 간 곳은 어디인가요?

여호와의 집 (삼상 1:24~27)

6 한나는 사무엘을 얼마나 자주 찾아갔나요? 매년 (삼상 2:19)

7 한나가 사무엘에게 매년 지어다 준 것은 무엇인가요?

작은 겉옷 (삼상 2:19)

8 여호와의 전에 다른 제사장들은 누가 있었나요?

엘리의 아들들 (삼상 2:12~13)

9 하나님은 왜 엘리의 아들들에게 화를 내셨나요?

그들이 하나님께 죄를 지었기 때문이다 (삼상 2:17)

10 엘리는 하나님이 사무엘을 부르시면 어떻게 대답하라고 말했나요?

"여호와여 말씀하옵소서 주의 종이 듣겠나이다" (삼상 3:9)

11 하나님은 어떻게 하나님의 계획을 이루시나요?

하나님은 사람들을 통해 하나님의 계획을 이루세요. 하나님의 계획은 하나님의 영광을 드러내고 사람들에게는 유익해요.

— **하나님은 사무엘을 부르셔서 하나님의 계획을 알려 주셨어요.** 하나님은 사무엘에게 말씀하시고, 사무엘이 그 말씀을 전하게 하심으로 하나님의 계획을 이루셨어요.

탐험하기

누구의 말일까요?

준비물 학생용 교재 44쪽, 연필

각각의 말풍선의 주인을 찾아 선으로 잇게 한다. 성경을 펴고 답을 확인해 보는 시간을 갖는다.

— 성경에 나오는 사람들을 잘 알고 있네요. 사무엘은 하

나님의 말씀을 전해 사람들에게 하나님을 알려 주었어요. 말씀이신 예수님은 자신을 통해 하나님이 어떤 분이신지 보여 주시고 우리를 죄에서 영원히 자유롭게 하셨어요.

연대표 게임

준비물 학생용 교재 45쪽, 47쪽 주사위와 게임 말, 가위, 풀

① 이스라엘 백성을 약속의 땅으로 인도하시는 하나님의 구원 계획(가스펠 프로젝트)을 따라가며 그 계획이 어떻게 완성되어 가는지 알아보는 시간을 갖는다.

② 47쪽의 주사위와 게임 말을 오려 사용한다.

섬김을 실천해요 *

준비물 마니또(친구 섬김), 청소 도구(교회 섬김), 선물(이웃 섬김) 등

① 예배 후에 섬김 활동을 계획한다.

② 상황에 따라 '친구 섬김', '교회 섬김', '이웃 섬김' 중에서 선택한다.

예) · 친구 섬김 : 마니또를 정해 한 주 동안 친구가 눈치채지 못하게 도와준다.

· 교회 섬김 : 교회 곳곳을 청소한다.

· 이웃 섬김 : 노인정이나 요양원에 있는 어르신들을 위해 선물과 카드를 준비한다.

— 한나는 사무엘을 여호와께 드렸고, 사무엘은 여호와의 전에서 하나님을 섬겼어요. 한나는 사무엘을 매년 찾아가서 필요한 물건을 가져다주었어요. 우리도 다른 사람들을 도움으로써 하나님을 섬길 수 있어요.

보물 상자

나만의 기록장

준비물 학생용 교재 46쪽, 연필

① 하나님이 사무엘을 부르셔서 하나님의 말씀을 전하게 하셨던 것을 떠올려 준다.

② 하나님이 나를 부르신다면 어떤 말씀을 하실지 생각해 보게 한다.

③ 하나님이 나에게 어떤 일을 시키시면 두려워하지 않고 할 수 있을지 생각해 보라고 한 뒤 이야기를 나눈다.

— 하나님은 사무엘을 통해 이스라엘 백성에게 하나님이 어떤 분이신지, 어떤 계획을 갖고 계신지 알려 주셨어요.

하나님은 성경을 통해 우리에게도 말씀하고 계세요. 우리를 사랑한다고 말씀하세요. 아이들의 이름을 한 명씩 부르며 말해 준다. 우리가 알게 된 하나님의 계획은 무엇인가요? 하나님은 예수님을 보내셔서 우리를 죄와 죽음의 형벌에서 구원할 계획을 세우셨어요.

메시지 카드

이번 주 메시지 카드로 부모님과 함께 오늘 배운 성경 이야기를 나누어 보라고 한다.

기도

우리를 향한 놀라운 계획을 갖고 계시는 하나님께 감사드립니다. 기도로 하나님께 마음을 솔직히 말씀드렸던 한나처럼 우리도 어려울 때마다 하나님 앞에 나와 기도하게 해 주세요. 그리고 하나님의 말씀에 순종해 하나님의 계획을 이룬 사무엘처럼 우리도 하나님의 말씀을 듣고 순종해 하나님의 계획을 이룰 수 있도록 도와주세요. 예수님의 이름으로 기도합니다. 아멘.

우리는 무엇을 믿어야 할까요?

우리는 하나님이
우리를 돌보신다는 것을 믿어요.

하나님은 어떻게 하나님의 계획을 이루시나요?

하나님은 사람들을 통해 하나님의 계획을 이루세요.

하나님의 계획은 하나님의 영광을 드러내고

사람들에게는 유익해요.

내가 네게 명령한 것이 아니냐
강하고 담대하라
두려워하지 말며 놀라지 말라
네가 어디로 가든지
네 하나님 여호와가
너와 함께하느니라 하시니라

여호수아 1장 9절

대저 여호와는 우리 재판장이시요

여호와는 우리에게

율법을 세우신 이요

여호와는 우리의 왕이시니

그가 우리를 구원하실 것임이라

이사야 33장 22절

질문에 답해 보세요.

1 이름 ____________

2 숫자 ____________

3 형용사________한/은/는

4 형용사________한/은/는

5 형용사________한/은/는

6 형용사________한/은/는

7 숫자 ____________

8 명사 ____________

9 명사 ____________

10 동사 __________어요.

11 형용사__________니다.

12 명사 ____________

13 명사 ____________

14 형용사____________고

15 형용사____________고

16 형용사__________니다.

17 이름 ____________

18 동사 __________니다.

19 형용사__________니다.

20 명사 ____________

HINT 다음 중 어떤 것으로 빈칸을 채울지 골라 보세요.

형용사 사물의 성질이나 상태를 나타내는 말 차갑다, 폭신하다, 노랗다 등
동사 동작을 나타내는 말 걷다, 구르다, 수영하다 등
이름 진오, 서희, 미경 등
명사 사람, 장소, 또는 물건 자동차, 강아지, 어린이 등
숫자 1, 142, 3000 등

하나님은 [1] ________ 에게 "사람들 [2] ________ 명을 보내 가나안 땅을 살펴보게 하라"라고 말씀하셨어요..

모세는 해야 할 일을 알려 주었어요. "너희는 가서 그 땅이 어떤지, 거기 사는 사람들의 힘이 [3] ________ 지 [4] ________ 지, 수가 [5] ________ 지 [6] ________ 지 알아보아라."

정탐꾼들은 [7] ________ 일 동안 약속의 땅을 살펴보았고, [8] ________ 들을 잘라 [9] ________ 에 매달아 [10] ________ 어요. 그리고 모세와 아론과 이스라엘 백성 앞에 나아왔어요.

"그 땅은 매우 [11] ________ 니다.
[12] ________ 와(과) [13] ________ 이(가) 흐르는 땅입니다.
그러나 그 땅에 사는 사람들은 [14] ________ 고,
성읍은 [15] ________ 고 [16] ________ 니다."

정탐꾼들 중 하나였던 [17] ________ 은(는) 이렇게 말했습니다.
"우리는 가서 그 땅을 [18] ________ 해야 합니다! 하나님이 도우시면 우리는 할 수 있습니다!"

그러나 여호수아를 제외한 나머지 정탐꾼들의 생각은 달랐어요.
"우리는 그 백성을 이기지 못합니다.
그들은 [19] ________ 니다.
그들과 비교하면
우리는 [20] ________ 와(과)
같을 뿐입니다!"

하나님은 왜 대적들이 이스라엘을 정복하게 하셨나요? (삿 3:7)	이스라엘의 첫 번째 사사는 누구인가요? (삿 3:9)	옷니엘은 얼마 동안 이스라엘을 다스렸나요? (삿 3:11)
옷니엘이 죽은 후 어느 나라가 이스라엘을 정복했나요? (삿 3:12~13)	모압 왕은 얼마 동안 이스라엘을 다스렸나요? (삿 3:14)	하나님이 이스라엘을 모압에서 구원하기 위해 세우신 사람은 누구인가요? (삿 3:15)
에훗이 가진 무기는 무엇인가요? (삿 3:16)	에훗은 어떻게 왕과 단 둘이 있게 되었나요? (삿 3:18~19)	에훗은 모압 왕에게 어떻게 했나요? (삿 3:21)
에훗은 어떻게 도망쳤나요? (삿 3:23)	에훗이 모압 왕으로부터 이스라엘을 구원한 후 이스라엘은 얼마 동안 평온했나요? (삿 3:30)	이스라엘을 구원한 세 번째 사사는 누구인가요? (삿 3:31)

칼럼

성경 이야기가 어린이들에게는 너무 폭력적일까?

여호수아와 사사에 관한 성경 이야기는 흥미진진합니다. 그러나 이 이야기들에 포함된 폭력성 때문에 마음에 어려움을 느끼는 교사도 있습니다. 한 목회자가 이렇게 물었습니다. **"어떻게 하면 연령에 맞게 성경 메시지를 전달할 수 있을까요? 어린이들이 성경의 폭력성에 노출되는 것을 막으려는 요즘 경향에 대해 어떻게 느끼십니까?"**

취학 전 아동과 초등학생에게 폭력성이 포함된 성경 이야기를 하는 데는 두 가지 방법이 있습니다.

폭력적인 내용을 빼고 전달하기

첫 번째 방법은 폭력적인 이야기는 가정에서 성경 이야기책으로 읽게 두고 교회의 대그룹이나 소그룹에서는 이야기하지 않는 것입니다. 그렇게 할 경우 가정에서 부모가 자녀들에게 들려줄 이야기의 범위와 시기를 정하게 됩니다. 교회에서는 폭력적인 부분을 이야기하지 않아도 됩니다. (예를 들어, 사무엘상 17장에서는 다윗이 골리앗을 죽이는 내용이 아니라 형들에게 음식을 가져다주는 것에 초점을 둘 수 있습니다.)

사실을 전달하기

두 번째 접근법은 폭력성이 포함된 이야기를 들려주지만, 이야기의 요점을 흐트러뜨릴 수 있는 추가 묘사, 또는 자극적인 부분은 제거하는 것입니다. 이 경우 취학 전 아동에게 다윗이 물매와 돌멩이 하나로 거인을 물리쳤다는 이야기를 들려줌으로써 평범한 사람을 통해 위대한 일을 행하시는 하나님의 능력에 경탄하게 할 수 있습니다. (다윗이 골리앗의 머리를 칼로 자르는 부분은 다룰 필요가 없게 됩니다.)

어린이를 위한 많은 자료는 첫 번째 방법을 반영하고 있지만, 《가스펠 프로젝트》는 두 번째 방법을 선택했습니다. 폭력에 집착하지 않고 이야기의 사실을 전달하는 데 초점을 맞추는 것입니다. 《가스펠 프로젝트》에서 폭력적인 부분을 생략하지 않고 아이들에게 성경 이야기를 들려주는 이유는 다음과 같습니다.

성경 이야기의 목적

어린이, 특히 취학 전 아동은 죽음에 대해 완전히 이해하지 못하겠지만, 《가스펠 프로젝트》는 어린이들이 생각보다 훨씬 더 높은 인지력을 갖고 있다고 믿습니다. 세계적으로 사랑받는 동화들 중에는 상당히 폭력적인 내용을 포함하는 경우가 있습니다. 《빨간 모자》 또는 《헨젤과 그레텔》 등이 그 예입니다. 하지만 이런 동화를 대할 때 어린이들은 이야기가 친숙하기에 폭력적인 요소를 간과하는 경향이 있는 것 같습니다.

어린이를 가르치는 교사로서 우리가 폭력적인 이야기를 들려줄 때 걱정을 하는 이유가 성경에 대해 잘 모르기 때문이 아닌지 돌아보아야 합니다. 한 예로, 아간과 에훗, 야엘의 이야기에 충격을 받은 교사라 하더라도 노아의 방주 사건(하나님이 모든 살아 있는 생명체를 멸망하신 이야기)이나 아브라함과 이삭(아버지가 아들을 죽일 뻔한 이야기)의 이야기에는 대개 별다른 문제를 발견하지 못하곤 합니다.

성경에 담긴 폭력적인 요소는 우리의 죄가 얼마나 나쁜지, 얼마나 심각한지를 보여 줍니다. 완벽한 에덴동산에서 시작된 성경 이야기는 형이 동생을 죽이는 끔찍한 이야기로 이어집니다. 그렇지만 우리가 죄의 어두움을 발견할 때 복음의 기쁜 소식이 더욱 밝아집니다.

우리 자녀들은 죄가 가득하고 폭력적인 세상에서 폭력을 경험합니다. 물론 어느 정도는 아이들을 보호할 수 있습니다. 그러나 결국 아이들은 이 타락한 세계의 현실과 직면하게 될 것입니다. 어린이들은 하나님이 비극적인 결말을 안타까워하시는 분이라는 것, 폭력 사태를 방관하시지만은 않는 분이라는 사실을 알 필요가 있습니다.

성경에서 가장 중요한 이야기는 가장 끔찍하고 듣기 힘든 이야기입니다. 바로 **예수 그리스도의 죽으심과 부활에 관한 이야기**입니다. 피가 난무하거나 선정적인 그림을 보여 주며 십자가를 가르칠 필요는 없습니다. 그렇지만 우리는 어린이들에게 그리스도께서 우리를 위해 희생하시고 돌아가셨다는 이야기를 해 주어야 합니다. 전 우주적 회복을 가져오신 예수님께 행해진 부당한 폭력(십자가 사건)은 기독교 신앙의 핵심입니다.

특정 이야기를 들려줄 때 연령에 적합한지를 고려하는 것은 부모와 교사의 의무입니다. 《가스펠 프로젝트》 편집부는 이야기 속의 폭력적인 요소에 지나친 관심을 갖거나 부정하지 않고 복음에 집중하는 방식으로 성경 이야기를 충실히 전하려고 노력했습니다.

트레빈 왁스(Trevin Wax)_ LifeWay *The Gospel Project* 편집장

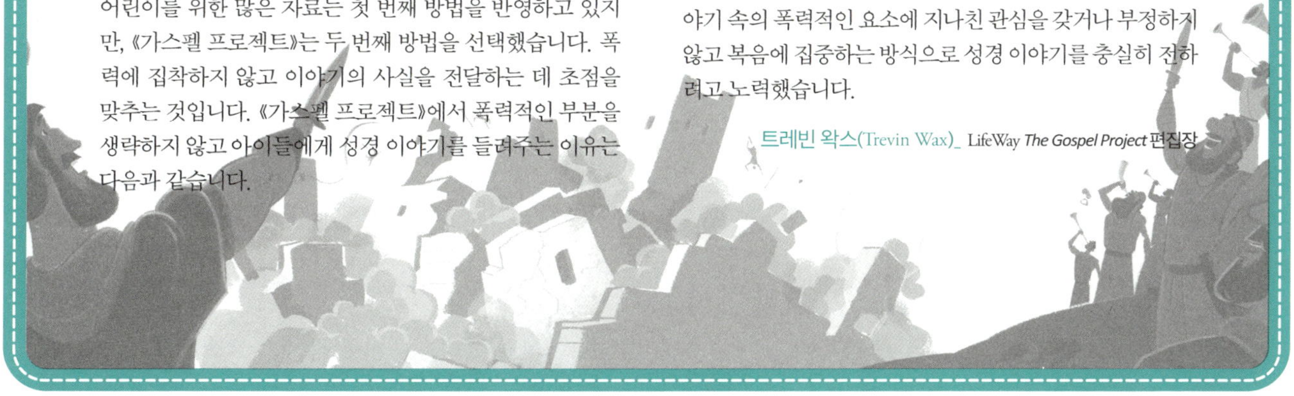

1권 위대한 시작
창

1단원 창조의 하나님

1. 하나님이 세상을 창조하셨어요
2. 하나님이 사람을 창조하셨어요
3. 죄가 세상에 들어왔어요
4. 가인과 아벨이 제물을 드렸어요
5. 하나님이 노아와 가족을 구해 주셨어요
6. 바벨탑을 쌓던 사람들이 흩어졌어요

2단원 언약을 맺으시는 하나님

7. 하나님이 아브라함과 언약을 맺으셨어요
8. 하나님이 아브라함을 시험하셨어요
9. 하나님이 다시 약속하셨어요

3단원 언약을 지키시는 하나님

10. 야곱이 복을 가로챘어요
11. 하나님이 야곱에게 새 이름을 주셨어요
12. 요셉이 이집트로 팔려 갔어요
13. 요셉의 꿈이 이루어졌어요

2권 하나님의 구출 계획
출, 레, 신

1단원 구출하시는 하나님

1. 모세를 부르셨어요
2. 이스라엘 백성은 재앙을 피했어요
3. 홍해를 건넜어요
4. 광야에서 시험을 치렀어요
5. 금송아지를 만들었어요

2단원 거룩하신 하나님

6. 십계명 "하나님을 사랑하라"
7. 십계명 "이웃을 사랑하라"
8. 성막을 지었어요
9. 하나님이 제사의 규칙을 정해 주셨어요
10. 오직 하나님만 예배해요
11. 하나님의 언약을 기억해요

3권 약속의 땅
민, 수, 삿, 룻, 삼상

1단원 구원의 하나님

1. 약속의 땅을 정탐했어요
2. 놋뱀을 바라보았어요
3. 하나님이 여리고 성을 주셨어요
4. 죄 때문에 아이 성 전투에서 졌어요
5. 여호수아가 당부했어요

2단원 다스리시는 하나님

6. 사사들이 이스라엘 백성을 이끌었어요
7. 드보라와 바락이 노래했어요
8. 겁쟁이 기드온이 용사가 되었어요
9. 삼손에게 다시 힘을 주셨어요
10. 룻과 나오미를 보살펴 주셨어요
11. 하나님이 사무엘에게 말씀하셨어요

4권 왕국의 성립
삼상, 삼하, 왕상, 욥, 전, 시, 잠

1단원 왕이신 하나님

1. 이스라엘이 왕을 달라고 했어요
2. 하나님이 사울을 버리셨어요
3. 다윗이 골리앗과 맞섰어요
4. 다윗과 요나단이 친구가 되었어요
5. 하나님이 다윗과 언약을 맺으셨어요
6. 다윗이 하나님께 죄를 지었어요

2단원 지혜의 하나님

7. 솔로몬이 지혜를 구했어요
8. 지혜는 하나님께로부터 와요
9. 솔로몬이 성전을 지었어요
10. 이스라엘이 둘로 나뉘었어요

3단원 주권자이신 하나님

11. 솔로몬이 산다는 것에 대해 생각했어요
12. 욥이 고난을 받았어요
13. 하나님을 찬양해요

5권 선지자와 왕
왕상, 왕하, 대하, 사, 렘, 겔, 호, 욘, 욜

1단원 계시하시는 하나님

1. 엘리야가 악한 아합을 꾸짖었어요
2. 엘리야가 이세벨을 피해 도망쳤어요
3. 하나님이 나아만을 고쳐 주셨어요
4. 하나님이 이사야를 부르셨어요
5. 이사야가 메시아에 대해 외쳤어요
6. 히스기야는 남 유다의 신실한 왕이었어요

2단원 포기하지 않으시는 하나님

7. 하나님이 호세아를 통해 북 이스라엘에 사랑을 전하셨어요
8. 하나님이 요나를 통해 니느웨에 사랑을 전하셨어요
9. 하나님이 요엘을 통해 남 유다에 사랑을 전하셨어요

3단원 새롭게 하시는 하나님

10. 하나님이 예레미야를 부르셨어요
11. 예레미야가 새 언약에 대해 예언했어요
12. 남 유다 백성이 포로로 잡혀갔어요
13. 에스겔이 앞날의 소망을 이야기했어요

6권 돌아온 하나님의 백성
단, 에, 느, 말

1단원 보호하시는 하나님

1. 다니엘과 친구들이 하나님께 순종했어요
2. 사드락, 메삭, 아벳느고를 구하셨어요
3. 다니엘을 구하셨어요
4. 하나님의 백성을 고향으로 데려오셨어요
5. 성전을 다시 지었어요

2단원 공급하시는 하나님

6. 에스더를 왕비로 세우셨어요
7. 에스더를 통해 하나님의 백성을 구하셨어요
8. 느헤미야가 예루살렘의 소식을 들었어요
9. 예루살렘 성벽을 다시 세웠어요
10. 에스라가 하나님의 율법을 읽었어요
11. 말라기가 하나님의 말씀을 전했어요

※ 절기 교재

부활절

1. 왕이신 예수님이 나귀를 타셨어요
2. 예수님이 부활하셨어요

성탄절

1. 왕을 기다려요
2. 천사가 마리아와 요셉에게 나타났어요
3. 예수님이 태어나셨어요
4. 동방박사들이 왕을 찾아갔어요

※세부 내용은 사정에 따라 변경될 수 있습니다.

구약3 성경의 초점과 주제

1단원 구원의 하나님

Q 우리는 무엇을 믿어야 할까요?

A 우리는 하나님이 우리를 돌보신다는 것을 믿어요.

1. 이스라엘 백성은 약속의 땅을 주시겠다는 하나님의 말씀을 신뢰하지 않았어요.
2. 하나님은 이스라엘 백성이 놋뱀을 바라보면 살 것이라고 말씀하셨어요.
3. 하나님은 이스라엘 백성을 위해 싸우셨고, 그들을 약속의 땅으로 인도하셨어요.
4. 하나님은 아간의 죄를 벌하신 뒤 아이 성에서 이스라엘 백성을 위해 싸우셨어요.
5. 여호수아는 이스라엘 백성에게 하나님만 섬기도록 권면했어요.

2단원 다스리시는 하나님

Q 하나님은 어떻게 하나님의 계획을 이루시나요?

A 하나님은 사람들을 통해 하나님의 계획을 이루세요.
하나님의 계획은 하나님의 영광을 드러내고 사람들에게는 유익해요.

6. 하나님의 백성이 하나님께 등을 돌리고 우상을 섬겼어요.
7. 이스라엘 백성은 그들을 대적들로부터 구원해 줄 누군가가 필요했어요.
8. 하나님은 기드온의 약함을 통해 영광을 받으셨어요.
9. 하나님이 삼손에게 힘을 주셨어요.
10. 하나님은 룻과 나오미를 구해 줄 사람을 보내 주셨어요.
11. 하나님은 사무엘을 부르셔서 하나님의 계획을 알려 주셨어요.